恩田 陸

いのちのパレード

新装版

実業之日本社

Contents

The Grand Parade
by
Riku Onda

English Title Translated by
Eiko Kakinuma
This book is published 2023 in Japan by
Jitsugyo no Nihon Sha,Ltd.
Design by Koichi Sakano
©Josef Koudelka / Magnum Photos / AFLO

新装版

いのちの
The Grand Parade
パレード

観光旅行

The Mysterious Tour

妻は以前からその村に行ってみたいと思っていたようだが、私の仕事が忙しかったため、なかなか言い出せなかったらしい。数年がかりの大きな仕事が一段落したので、どこかに行こうと提案した時、彼女は真っ先にその村の名を挙げたのである。

私も、子供の頃から名前は知っていた。仮に、その村の名前をＷとしておこう。

母方の祖母は話好きかつ話上手な人だった。赤ずきんとオオカミ、お菓子の家と魔女、金色の斧の話など、子供の頃に聞くべき話はほとんど祖母から聞いたと言っていい。

Ｗの話もそうだ。奇妙な話だったので、印象に残っていたのである。

本が読めるようになって、小学校の図書室で祖母の話の出典を発見するようになると、教育効果を上げるためか、単に彼女の好みだったのか、祖母が元の話をところどころ脚色していたことに気が付いた。Ｗの話もその類に違いないと思い、探したこともある。けれども、そこは育ち盛りの男の子のこと。暫くすると他の子供たちと野球や模型飛行機に夢中になって、忘れてしまっていた。

Wが実在する場所だと知ったのは、成人してからである。

特にそれを感動的な事実として聞いた記憶はない。湖水地方よりも少し北にあって、たった一つのことを除いて特徴のない村。中世より連綿と続く、些か閉鎖的な農村であると。

しかし、私は半信半疑だった。まさかそんなところが本当にあるなんて、とても常識では信じられなかったからだ。大昔に起きたとされる出来事を言い伝えているうちに、恐らく村民が過大に解釈するに至ったのだろうと思っていた。

俄にその村のことが気になってきたのは、妻の提案もあるが、最近、密かにそこへの観光ツアーが流行っていると聞いたからである。私と同じく単なるおとぎばなしだと思っていた人は多かったらしく、みんな半ば冗談だと思ってツアーに出かけ、狐につままれたような顔で帰ってくるそうだ。

妻の友人にもそのツアーに夫婦で出かけた人がいて、妻がその様子を根掘り葉掘り尋ねてみたが、「本当だった」としか言わず、決して詳しくは説明してくれなかったという。

「見れば分かる、としか言わないの。ご主人もよ。話せない決まりだからって。どうしてかしらねえ」

バスを待ちながら、妻は首をかしげた。

「それにしても、なぜ夜行バスなのかな。昼間のバスはないのかい？」

私は周囲を見回した。

夜のターミナル駅。しかも、深夜に近い時間だ。指定された場所は、広い長距離バス乗り場の中でも一番目立たない外れだった。

「なんでも、村の場所を口外されると困るからですって」

「何を今更。地図にも載ってるだろう」

「狭い村だし、観光客が押し寄せないようにって」

「なんだか矛盾してるな。観光ツアーまでやっているのに。だったら立入禁止にすればいいじゃないか」

「ツアーは村の直営で、他のところは入れていないそうよ。村に観光客を入れるのも不定期で、一度に二十人までと決めているとか」

「しかも、滞在できるのは週末の一晩だけなんだろ。平日は普通に仕事していて、観光収入を当てにはしていないということか」

「希望者が多くて、今は抽選なの。あたしたちは、紹介だったから入れてもらえたのよ」

他にも何人か並んでいたが、皆どこかこそこそして、互いに顔を盗み見ている。

「夜逃げするみたいだな」

「しっ。バスが来たみたいよ」

遠くにヘッドライトが見え、やがて中型の古いバスがゴトゴトと現れると、耳障りな音を立てて停留所に停まった。待っていた人々が背筋を伸ばす。

古い型の、懐かしいバスだ。今にも中から祖母が降りてくるような気がした。

ドアが開き、腕に緑色の腕章を着けた冴えない中年男が降りてきて、「Wに行くお客さんですか」と早口で尋ねた。先頭の客が頷くと、「それでは早く乗ってください」と、手に持った名簿と客を照合しながら、急きたてるように乗せていく。最後の一人が乗ったか乗らないかの瞬間にドアが閉まり、同時にバスは動き出していた。あっというまの出来事だった。

「ずいぶん急ぐんだねえ」

私は多少の嫌味を込めて、運転手の脇に立っている中年男に話し掛ける。

中年男は慇懃に頭を下げ、客を見回すと声を潜めて言った。

「皆さん、申し訳ありません。私、W村役場のトダと申します。最近、このバスとツアーの噂（うわさ）を聞いて、後をつけてきたり、無理に乗り込もうとする方がいらっしゃるので」

「人気らしいね、このツアーは」

前に座っていた裕福そうな男も、皮肉を込めてトダに声を掛けた。

「ありがたいことではありますが、正直、村でも意見が分かれております」

そう答えたトダの表情を見た客たちは、なぜか絶句してしまった。彼の顔には、笑って済ませられないような、ひどく真剣なものがあったのである。

「けれど、村に必要なことであることも確かですので、こういう方法を取らせていただいておるわけです」

「あのう」

恐る恐る妻が尋ねた。

「お友達から聞いたんですけど、村の場所を他の方に教えてはいけないのはなぜですか」

トダの顔には、再び複雑な苦渋の表情が浮かんだ。

「そのほうがお客様のためにもよいからです」

私は妻と顔を見合わせた。我々のため？　なぜ？

後ろのほうから控えめに声がする。

「ええと、本当なんですよね、つまりその――あれは」

みんながトダを注目した。誰もが聞きたい質問に違いない。

トダは一瞬押し黙ってから、重々しく頷く。

「本当です。ご覧になれば分かります」

ここまできっぱりと答えられると、誰も何も言えない。トダは腕時計を見た。

「それでは、夜も遅いことですし、皆さんお休みください。毛布は座席にございます。翌朝夜明け前には村に入る予定です。では、車内の照明を落とします」

有無を言わせぬ口調で照明のスイッチを切ったので、車内は暗くなる。

なんだか不安になった。トダの複雑な表情が脳裏に焼きついている。

外も漆黒の闇。場所を特定されないために、ぐるぐる回って暗いうちに到着するのだと聞いている。このままどこかに連れていかれて、身包み剝がれ、二度と帰れなかったら――そんなことを考えているうちに、眠りに落ちていた。

潮騒が聞こえる、と思ったら、それはざわざわという乗客の声だった。

「あなた、起きて。見てちょうだい」

妻の興奮した声が耳をくすぐる。

寝ぼけまなこで身体（からだ）を起こし、妻と一緒に窓の外を見る。

まだ太陽の昇っていない薄明の朝もやの中に、何かが浮かび上がっている。

「うん？　何だ、あれは」

隘路（あいろ）を抜けた先に林があり、その向こうにある丘の上に、柱のようなものが立っている。しかし、柱にしては上のほうが広いし、妙なカーブがある。

「手だ」

客の興奮した囁（ささや）きが聞こえた。

確かに手だった。巨大な手が、何かをつかもうと斜めに地中からにょっきりと、伸びているかに見える。材質は、ざらざらした、灰色の石だ。

「本物かねえ。ただの石像かもしれない」

「生（は）えたという証拠はないな。どこからか運んできて、彫刻家に彫らせたってああなるぜ」

後ろの席でひそひそと囁く声も聞こえる。

その意見はもっともだ。あれが「それ」だという確証はない。

だが、トダと運転手は我々の声など耳に入らない様子で、なにやら難しい顔をして早口で話しあっている。

「――困ったな。ひょっとして、あそこは――じゃないか」

「一晩であんなになるなんて――だから夜離れるのは危険だと村長に――」

「しかし――二人減って――は――」

ところどころ聞こえるが、会話の内容はよく分からない。

「不思議なところね。隠れ里のような場所だわ」

妻が丘の向こうに広がる集落を見て呟いた。私も同意する。

「確かに奇妙な地形だな。まるで『ロスト・ワールド』だ」

集落は、でこぼこした丘があるものの、切り立った屏風岩にぐるりと囲まれていた。谷という感じでもないし、円筒の底にそっくり村が入っている、という印象である。

「あれは、火山の噴火口の中にそっくり古代の世界が残っているという設定だったわね。これじゃあ、周りの村と隔絶されていても無理はないわ」

「ひょっとすると、今僕たちが入ってきた道しか、村に入れないのかもしれない」

道を進み、辺りが明るくなってくるにつれて、村の異様な景観が目の前に広がり、乗客たちは息を呑んだ。

丘や道のそこここに、奇妙な柱が立っている。

見たところ、どれも手だ。天を指差しているもの、だらりとしているもの、拳骨のもの。

それが、畑といわず、路肩といわず、にょっきり聳えている。場所によっては、何本もぎっしり並んでいるところもあり、遠目にはまるで巨大なイソギンチャクのようで、グロテスクだ。

「どこから運んできたんだろう」

「わざわざあんな場所に建てるのが解せないな」

後ろの客は、あくまでも懐疑派らしい。この観光も、村を神秘的に見せ、希少価値を煽るための芝居がかったトリックだと思っているようだった。

迂回していくと、石垣の切れたところに道が続いていた。どうやらそこが村の公式の入口らしい。そこに、さっき遠くから一番初めに見えた手があった。

道路の脇から斜めに突き出ているので、ちょうど道を斜めに塞ぐ形になる。

近くまで行くと、手と地面の間に大きな三角形の隙間があった。

「通れるかな」

「ぎりぎりか、かするくらいだと思う」

トダと運転手がボソボソと話している。バスは減速し、慎重に進んだ。乗客も思わず頭を屈め、身体を縮める。がりがりがり、と天井をこする音がしたが、バスは無事にそこを通り抜けた。客の間から拍手が起きる。トダが運転手に代わって会釈をし、慇懃に挨拶をした。

「改めまして、皆様、ようこそWへ」

小さな役場の一室に、私たちは案内された。

大きな円卓に温かい朝食が準備してあり、コーヒーとお茶が振舞われる。

正面の黒板に村の地図が貼ってある。×印がついているのが、どうやらあの石の柱の立っている場所のようだった。かなりの数だ。しかし、気になるのは、地図の右上に昨日の日付が入っていることである。

私は祖母の話を思い出していた。

昔々あるところに、巨人たちの棲む国がありました。けれど、ある日を境に雪が降り始め、いつまで経っても止みません。食べ物もなくなり、巨人たちの数はどんどん減っていってしまい、とうとう最後に一家族だけが残りました。家族は、再び巨人たちの時代が来るまで、雪を掘って中で眠ることにしたのです。時は過ぎ、その家族が眠る場所に、人間たちが村を作りました。巨人たちは、時々懐かしい昔の夢を見ます。すると、村のあちこちで巨人の指や手が飛び出し、それはまるで石の柱のように見えるのです。村人たちは、ああ、巨人が昔の夢を見ている、と噂しあうのです——

まさか、本当に地下に巨人が眠っているわけではあるまい。しかし、あのさまざまな形状の石の手を目の当たりにすると、この地面の底に、大勢の巨人が横たわり、寝返りを打っては腕を突き出しているところが目に浮かぶ。

トダが、一緒に朝食を摂りつつ、観光の注意事項を説明した。

「えー、これから村の中の石を見て回るわけですが、中には庭や畑などの私有地もありますから、そういうところには立ち入らないでください。観光とはいっても、村民にとっては生活の場でありますので、むやみに話し掛けたり、騒いだりなさいませんようお願いいたします」

客たちはおとなしく頷いた。質問が出る。

「私たちの宿泊するところはどこなんです？　荷物を運びたいのですが」

「荷物はこちらに預けていただければ結構です。宿泊地は、現在検討中です。夕方になってから決定したいと思います」

「検討中というのは？」

「その――生えてくるのは、午後になってからが多いものですからね。それを見てみないと、場所を決められないんです」

突然、ぐらっと部屋が揺れた。客たちは悲鳴を上げ、立ち上がる。

トダは「お静かに。すぐ済みますから」とみんなを宥めた。

「な、何だ、これは」

まだ部屋は小刻みに動いている。ふと窓を見ると、外の景色も少しずつ動いていることに気付いた。

「今朝、役場の土台の下に指を発見したんです。明日には土台を直撃するかもしれませんのでね、今、トレーラーで役場を動かしているところです」

トダが涼しい顔で説明をした。

「まさか」

「大丈夫です。みんな作業には習熟していますから」

トダはみんなの疑問とは異なるところで請け合ってみせた。

トダの案内で観光が始まった。

村のそこここで、トレーラーが出動して、家や店を動かしているのは奇妙な眺めだった。まるで、村全体が機械仕掛けのおもちゃのように感じられるのだ。

トダの話によると、この村の建物は、どれも五徳(ごとく)に似た高床式の土台の上に載せてあるのだという。石がどこに生えてくるか分からないため、かなり昔からこういう建て方をしているそうだ。村人は、土台の下に指が見えないか、朝晩確かめる。指が見えてきたら、村に報告をし、村からトレーラーを借りて、家を動かすのだ。少しずらすだけで済むこともあるし、家の真下から生えてきた時は、家を丸ごと別の場所に移動させてしまうこともある。

「問題は、生える速さが予測できないことですね」

トダは溜息(ためいき)をついた。

「村の入口にあった柱、あれは何日くらいであそこまで？」

誰かが質問する。

「二晩です」

どよめきが漏れた。

「昨日の朝には、まだ指が三本、先っちょしか見えてなかったんですがね。まさか一晩であんなに成長するとは、我々にも予想外でした。中にはとてもゆっくり、ひと月以上かけて生えてくるものもあるんです。ま、通常は、平均して五、六日というところでしょうかね」

私たちは、理解が追いつかないままトダについていき、いろいろな柱を見た。

ジャンケンの道、と名づけられたところでは、坂道に沿って見事にグー、チョキ、パーの形をした手が一列に並んでいたし、祈りの広場と名づけられたところでは、二本の手が斜めに生えて手を合わせ、ちょうど祈る形になっていた。

「こんなに石が生えてきたら、村は石だらけになってしまうんじゃないですか」

誰かが質問すると、トダはもっともだというように頷いた。

「柱にはそれぞれ寿命がありまして。たまにいつまでも残っているものもありますが、ほとんどは数ヶ月から半年ぐらいで崩れてしまうんです」

村の地図に日付が入っていた理由が分かった。家の場所も、石のある場所も日々刻々と変わっていくので、固定した地図というものは存在しないのだろう。

トダは、村の外れにある石材工場に我々を案内した。

中には、ぼろぼろになった手が何本も横たえてあり、村人がそれらを削ったり切ったりして煉瓦状のブロックに加工していた。倒れるか、三分の二が崩れた時に、石材として加工する決まりなのだそうだ。ここで作られたブロックは、石が生えてくることで壊れてしまった石垣や、家の建材として使われる。村の有識者によると、こうして村の中の石の量はほぼ一定に保たれているということだった。

石の生え方や生える場所に規則性はあるのか、と誰かが尋ねた。

トダは首を振る。村では長年のデータを分析しているが、全く規則性はなく、今もいつどこに生えてくるのかは予測不能である。

「地面の下はどうなっているんです？　掘ってみたことは？」

例の、懐疑派の一人が尋ねた。

一瞬、トダの目が暗く光ったような気がしたが、彼はすぐに穏やかな表情に戻り、首を振った。

「昔の長老の中には掘った者もいたようですが、どちらにしろ石は生えてくるのですから、そんなことをする者はいませんね。底に古い岩盤があって、そこから伸びてくることしか分かっていません」

そう言い切られて、懐疑派は不満そうな顔で黙り込んだ。

生えかけている石や、成長が遅く、指ばかりが三十本くらいずらりと並んでいる場所など、世にも奇妙な風景をいろいろ見たあとで、トダは我々を村の一番奥に案内した。

うっそうとした小さな黒い森があり、その中に、黒光りする、明らかに他の石とは異なる素材と存在感を示す大きな手が伸びていた。何かを受け止めようとするかのように、天に向かって掌(てのひら)を広げている。

「恐らくこれが、村で一番古い石です。とても丈夫な石なので、崩れません。子供が生まれると、あの上に載せます。そうすると、健康に育つという言い伝えがあるんです」

トダは神妙に手を合わせた。我々もつられて手を合わせる。

短い冬の日が暮れ始めていた。森の木々に混ざって、石の指が老木のように見えた。

村営のレストランで夕食を摂りながら、村の長老たちの話を聞く。

生えてくる石にまつわるいろいろなエピソードは、子供の頃の祖母の話を思い出させた。

小さな家に住んでいたおばあさんが、ある朝起きて外に出ようとすると、一晩で生えてきた石の掌に家が載っていて、十メートルも下の地面に落ちそうになり、消防隊が梯子(はしご)を掛けて救出したという話。

この村の子供は、悪いことをすると、部屋の下から石が生えてくると脅されるという話。

また、歯が抜けた時には、生えかけた石の指にぶつけると丈夫な歯が生えるという話。

興味深かったのは、この村の出身者がよそに住むと、しばしばその家の庭にも石が生えてくるという話である。だから、彼らはめったによそに移り住まない。逆に言うと、石が生えてくることがあるので、ここから出てゆくのは難しい。そのため、自然と閉鎖的になったというのだった。

「それでは、どうして近年、こんな観光ツアーを始めたんですか」

私は尋ねた。長老たちはちょっと押し黙ってから、一人が口を開いた。

「時代の流れですよ。閉鎖的な環境が続いてきたため、人の出入りが少なく、村の機能が硬直化してきたんです」

「人口も減ってきたしね」

隣の長老がぼそっと呟いた。

「高齢化が進んで、時々石が生えてきても逃げられない者がいる」

「私は反対だったんだよ」

「仕方ないじゃないか。それは今更言いっこなしだ」

長老たちは、酒が入ったこともあってか、口々に文句を言い始めた。

脇で聞いていたトダが、慌てて口を開いた。

「そうです、つまりは時代の流れです。農業の収入が頭打ちで、他に現金収入になるものが欲しかったんですよ。都会のようなおもてなしはできませんが、せめて、この特異な我々の文化を皆さんに見ていただくことで村の財政の足しになればと、思い切ってこのツアーを始めたんです」

我々も酒が回っていた。昼間あまりにもいろいろなものを見たので、興奮と高揚で夢心地に浸っていて、長老やトダの言葉の意味を深く考えなかったのだ。

私たちは、夜遅くまで楽しい宴（うたげ）を続けた。

夜中に誰かが入ってくる気配がして目を覚ました。

「なんだなんだ」

他の客たちがごそごそと起き出す。宿は二つの大きな部屋に、男女別々にベッドが用意してあった。私たちは、夜行バスの疲れもあって、ぐっすり寝入っていたのである。

ベッドの上に起き上がると、入ってきたのは、例の懐疑派の二人だった。見ると、ズボンの裾（すそ）が泥だらけである。

「どうしたんだ」

目をこすりながら尋ねると、懐疑派の二人は怒ったような声で答えた。

「あの柱の根元を掘ってみた」

「あれはいんちきだ。柱を埋めてあるだけだ。地面の下一メートルほどで切れていて、底は平らだったぞ」

二人は目をギラギラさせている。

他の客は顔を見合わせている。

「わざわざ掘ってみたのか」

誰かがあきれた声で言った。

別の誰かが欠伸（あくび）をし、迷惑そうに言う。

「いいじゃないか、いんちきでも、本当でも。我々は観光に来たんだ。不思議なものを見た。金を払った分はじゅうぶん楽しんだ。俺はそれで満足だ。そっとしておけばいい」

「だが、私たちは騙されたんだぞ」

二人はいきり立っているが、私も欠伸をした誰かの意見に賛成だった。

喋りまくる二人を残し、他の客は再びベッドに潜り込み、夢の世界に戻った。

しかし、私たちは夜明けと共に、ドーンという凄まじい音で叩き起こされた。

飛び起きてみると、部屋の中に砂埃と木屑がもうもうと舞っている。

「地震かな」

「おい、大丈夫か」

白煙が治まってくると、部屋の中に見慣れぬものが立っているのに気付いた。

巨大な手である。

見ると、懐疑派の二人のベッドが引っくり返り、二人は床の上に投げ出されて木屑に埋もれていた。手はちょうど二人のベッドの間から生えていて、天井近くに達している。

我々は目をこすり、のろのろと立ち上がると、床を突き破って生えている手を見上げた。

その手は、明らかに中指を突き立てていた。

村人総出で壊れた宿の修理をするのを私たちも手伝った。休んでいるうちに夜になり、私たちは再び夜行バスで村を出た。夜明け近くにターミナル駅に着き、解散となった。

トダが最後に念を押した。

「くれぐれも、Wの場所や、何が起きたかを口外なされませんよう。彼らは私たちの話を聞いていますし、私たちがどこにいるかよく知っています。でないと、昨夜のように、あなたがたの家の床も突き破られますよ」

私たちは無言で頷いた。懐疑派の二人でさえ、俯(うつむ)いて押し黙ったままだった。

これが、Wでの短い観光旅行の全(すべ)てである。

私も妻も、あの村の出来事が本当にあったことなのかどうか、未(いま)だに結論が出ていない。しかし、私たちは観光旅行を楽しんだし、実際にあの巨大な手が床を突き破ったところを見ているのだから、あの村で見たものを他人に話す気はしなかった。

ある朝、新聞を見ていた妻が「あら」と声を上げた。

「どうした」

「このお二人、あの時旅行で一緒だった人たちじゃありません？」

妻が寄越した新聞を見ると、そこに二枚の写真が載っていた。確かに、ベッドから投げ出されていた、懐疑派の二人の顔である。

記事は、二人が同日に、謎の失踪を遂げたというものだった。

「失踪？」

「不思議ね」

妻は肩をすくめると、興味を失ったように洗い物を始めた。

私は記事を目にしたまま、いろいろなことを考えた。

二人は、Wに行ったのではないか。というよりも、Wに戻らざるを得なかったのではないか。

私は、長老たちの話を思い出していた。

村から出た者は、しばしばよそでも住居に石が生えてくることがあるという。

恐らく彼らは、村の石をお守り代わりに身に着けていたのではなかったか。石を村の外に持ち出すと、石は自分の一部を取り戻そうとしてそこに現れるのではないか。

私はそう直感した。

あの二人は、石のかけらを持ち出したのだ。

彼らはあんな目に遭っても、まだ疑っていた。何かのトリックがあるのではないかと証明するために、こっそり石を持ち出して調べようとしたのだろう。

その結果、石が家に生えてきて、持ち出した石を戻さないわけにはいかなくなったのだ。

私は煙草(たばこ)を口にくわえた。

そして、実はそれがあの村の狙(ねら)いだったのではないだろうか。

私はカーディガンのポケットに手を突っ込み、ライターを探した。

村は人口減に悩んでいた。高齢化が進み、生えてくる石を避け切れず、石に直撃されて亡くなる老人が増えたのだ。新しい人間が必要だが、よそとのつきあいはほとんどない。だから、観光ツアーを始め、都会の人間に村を見せ始めた。現金収入だけが目的ではない。彼らは、客の何人かが石を持ち帰ることを予想していた。いったん石を持ち出せば、石はどこまでも持ち主を追っていく。その結果、石を持ち出した人間は村に戻らざるを得なくなる。こうして、何人か新たな住人が増えるというわけだ。

ライターの隣に、硬いものの感触がある。

大好きだった祖母の墓に供えようと思っただけなのに。

私はそっと溜息をつき、その硬いものを取り出して眺めた。

石材工場の隅で拾った、小さな石のかけら。

私は明るい庭に目をやる。

妻が丹精込めて育てた水仙の間から、大きな石の指が三本生え始めていた。

スペインの苔

Spanish Moss

彼女とスペインの苔との関わりを説明するためには、彼女のロボットのことから始める必要があるだろう。

ロボットといっても、科学的なものを想像してもらっては困る。むしろ、今では博物館入りになるのではないかと思われるような、ただの安っぽい、既製品のおもちゃである。四角い顔に四角い身体、鉤形の手。万人がロボットと言われて思い浮かべる特徴を全て備えた凡庸なそのおもちゃに、彼女はことのほか執着を示していた。

そのロボットが彼女の手に入った経緯は、直接見聞きした者がいるわけではないので分からない。だが、前後の状況から推察すると、非常に不愉快なものである。

幼稚園に上がったばかりのお盆に、彼女は母親と母親の田舎に帰った。

緑濃い、山が沸騰しているかのような午後である。

いとこの少年たちの後ろについて、彼女は埃っぽい道を歩いていった。しかし、こんな足手まといになるような小さな女の子を彼らが歓迎するはずもない。最初のうちこそ声を掛け歩調を合わせていたものの、川遊びに夢中になるうちに、いつしか彼らは彼女を見失っていた。

そのことに彼らが気付いたのは、もう日が暮れ始めた頃である。

慌てて家に戻り、この事実を恐る恐る彼女の母親に告げ、すわ大騒ぎになりかけた時、ひょっこり彼女が帰ってきた。

母親も少年たちもホッと胸を撫で下ろしたが、母親は、少女が手に何かを握っていることに気が付いた。

見ると、小さなロボットのおもちゃだった。見るからに安っぽいおもちゃである。

少女は、じっとロボットの手を握ったまま外に立っている。

どうしたのそれ、と薄暗い玄関の外の彼女に向かって母親は尋ねたが、返事はない。

玄関に入ってこようとしない娘に向かってサンダルを履き近づいた母は、外灯の下の敷石に黒い染みがあるのに気付いた。

血だ。

怪我(けが)をしているのかと思い、慌てて彼女を引き寄せた母親はぎくっとした。

血は、彼女の青いスカートの下から足を伝って流れていた。

恐らく、彼女はその時までまだ何も認識していなかったに違いない。自分の身に起きたことがいかにおぞましく、この先の長い道のりに消えない何かを押し付けていったという事実を。しかし、彼女はこの瞬間に悟った。母親の目に、深い亀裂(きれつ)のような恐怖と絶望と屈辱の混じった表情が浮かんだことによって。

むろん、何が起きたかを悟った大人たちは口をつぐんでいた。

けれど、こういうことはなぜか伝わるものだ。家に帰った少年たちは少女とはぐれたことを口にする。また、夜にこっそり病院に運ばれた少女を近所の人々が目撃している。

かくて、彼女と母親は、改めておのれの身の上に起きたことについて、憐(あわ)れみの視線やひそひそ話と共に知らされることになるのである。もはや拭(ぬぐ)い去ることのできない印が自分たちの上に刻み込まれたことを。

はぐれてしまった少年たちにも、この出来事は影を落とした。彼らがその意味を知るのはもう少し先のことになるだろうし、そのうちの一人くらいは将来当時を振り返ってかすかな罪の意識を感じるかもしれない。多少の繊細さがあれば、もしかして女性とのつきあいに影響するかもしれない。だが、それはここでは関係のない別の話だし、元来男性というのは本当の屈辱を知らない生き物である。

そのことは、彼女の父親の態度からも推し量ることができる。

娘の身に起きたことを知った父親が、最初に娘に向けた視線は、すなわち「汚らわしい」というものだった。

誰が「汚らわしい」のか。もちろん、娘がである。

そして、「汚らわしい」娘になってしまったことは、その母親に責任があると彼は考えた。すなわち、その母親も「汚らわしい」のであり、嫁入りまでは娘の商品価値をひたすら高くすることが使命である母親の仕事において無能である、と彼は判断した。

おまえは何をしていたんだ、と彼は苦々しげに言った。娘は傷物になった。（本当はもっと高く売れたかもしれないのに）買い叩かれることが今から決まっちまったんだぞ。

彼女の悲惨な体験とスペインの苔に、いったい何の因果関係があるのかとやきもきされる向きもあろう。だがその前に、彼女が執着したロボットの最期について語らなければならない。

もちろんこの出来事以降、彼女の母親はそのロボットに激しい嫌悪感を示し、一日も早く廃棄しようと試みたが、彼女は決してロボットを手放さなかった。そのあまりにも激しい執着ぶりに、やがては母親も廃棄をあきらめた。

それから数年後に、母親はその執着の理由を知ることになる。

再び、彼女と母親は母親の田舎にいた。

今回は、死の床にある祖父を看取（みと）るためである。

部屋は静寂に満ち、映画のような場面が目の前に繰り広げられていた。

もはや意識の混濁した老人と、それを見守る家族たち。夜半、火が消えるように息を引き取った老人の脈を確かめ、「ご臨終です」と医師が告げる。

弛緩（しかん）した空気とすすり泣きの声。

母親は、ハンカチで鼻を押さえながら、彼女に最期のお別れをするように促す。

彼女はすっと前に進み出る。ふと、母親は、娘が今日もあのロボットをぶらさげていることに気付く。

彼女は彼女なりの方法で祖父に別れを告げた。

すなわち、手に持っていたロボットを振り上げ、渾身（こんしん）の力を込め、祖父の顔にそれを振り下ろしたのである。

最初、周囲の人々は目の前で何が起きているのか理解できなかった。

しかし、彼女が全く躊躇（ちゅうちょ）する気配すらなく、二度三度と祖父の顔にロボットを振り下ろし、骨の陥没する音が響き、その古ぼけたおもちゃが鮮血に染まっていることをようやく理解すると、慌てて皆で彼女を引きとめた。

彼女を祖父から引き離した時、その場の空気は一変していた。

そこにいた誰もが、かつて彼女に屈辱を与え、口止め料としてそのちゃちなロボットを与えた人物が誰であったかを悟ったからである。なぜ人形ではなくロボットだったのかは、もはや永遠の謎だが。

ロボットはばらばらになり、さまざまな意味で、その与えられた役目を終えた。

だが、世間は、死者に優しく、生きていく者には冷たい。

人々は、もはや痛みも感じず、人生の入口にある孫に許しがたい罪を犯した男の人生に対してはぴったりと蓋（ふた）をしてしまった（遺体の顔の損傷は修復の限度を超えていたので、実際、文字通り、葬儀の間も柩（ひつぎ）の蓋は一度も開けられることはなかった）。

いっぽうで、痛みを感じこれからも長い人生を生きていく少女には、厳しい非難の目が向けられた。肉親の遺体の損傷に及んだ彼女は、共同体から忌避（きひ）され、その構成員から早々に脱落したのだった。

彼女はこの世の不条理と、おのれの身の上に押された烙印（らくいん）の深さを思い知らされる。そして、この先もずっとこの痛みから逃れられないことを幼くして知るのである。

ロボットは消えた。

さあ、スペインの苔だ。

いや、そう思うのはまだ早い。

その前に、彼女の青春時代について話しておく必要があるからだ。

全体的に、彼女は至って平凡な青春時代を送った。平和だったと言い換えることができるかもしれない。幼児期に起きたことの衝撃性に比べれば、長閑（のどか）で波風立たぬ人生だ。

けれど、本人ははっきりと自覚してはいなかったが、彼女にはやはり形容しがたい何かが染み付いていた。

それを何と説明しよう。

人が彼女を見た時、軽んじてもいい女だと判断してしまう何か。この女ならぞんざいに扱っても、踏みにじっても大したことではないと思わせてしまう何か。そして、そのことを彼女自身心のどこかで知っていると察知させてしまう何かが、彼女にはあったのだ。それが元々の彼女の気質だったのか、幼児期の一件のせいなのかは今となっては確かめる術がない。

とにかく、決して表立って疎んじられるわけではないものの、彼女の周りには、常にそこはかとない不穏さが立ち込めていた。そこはかとない軽蔑、そこはかとない不安、そこはかとない不快さ。誰もがなんとなく感じているが、口に出すほどでもない。これが、はっきり「不愉快な人だ」と口に出すほどのレベルであれば、目に見える感情のやりとりや摩擦などがあったかもしれないが、この「口に出すほどでもない」というところがまた、彼女の微妙で居心地の悪い不幸を象徴しているのだった。

彼女には男が寄ってきた。彼女のその雰囲気を、気安くなんとかできるのではないかと誤解する男、とりあえずこの女でもいいかと妥協する男、頼りなげで淋しそうだと勘違いする男たちが。

男性とつきあうことに抵抗はなかった。そういうものだと思っていたのだ。

男は寄ってくるし、彼女は抵抗しない。双方の思惑が嚙み合った結果として彼女にはいつも男がいた。だが、彼女はそのことに特に満足を覚えているわけでもなかった。恐らく大人になるというのはこういうものなのだろう。男というのはいつも不機嫌だし、勝手だし、ずるずると部屋に居ついたりするもので、大人の女は皆、こういうことに耐えているらしい。

それはある意味で真実であったし、彼女がそう割り切っている以上、他人がとやかく言うことではない。そのままであれば、それでよかったかもしれない。

しかし、ここに一人の男が登場する。

近所のレストランで知り合った男。食品メーカーに勤めている、常連客からも評判のいい、面倒見もいいし頼りになると言われている男だ。

彼は、分類すれば三番目のカテゴリーに含まれる男だった。彼女のことを淋しそうだと思い、ある種の義侠心のようなものを感じて近づいてきた男。人は、しばしば彼のような男を善人と呼ぶ。

善人である彼は、彼女と関わりを持つ。なんでも相談に乗るよと声を掛け、地域の行事に参加するよう誘う。

最初のうち、彼女は戸惑っていた。なにしろ、これまでにあまり優しくされたり、尊敬されたことがない。親切な笑顔など見せられても当惑するばかり。これまで彼女に近寄ってきた第三のカテゴリーの男は、はじめこそ庇護欲に駆られて親切にしてくれたものの、すぐに彼女の本当の特質に気が付き、たちまち蔑(さげす)みのまなざしを向けるようになり、結局彼女はいつもの慣れた場所に座らされることになるからだ。

ところが、この男はなかなか粘り強かった。

定期的に声を掛け、常に温かい笑顔を向けてくる。

彼女が彼にそれまでの男とは異なるものを感じ、徐々に打ち解けていったとしても不思議ではない。そこに、何か違うものを夢見たとしても。

問題点はといえば、この男は善人なのではなく、自分が善人であると信じていたことだ。

似ているようだが、ここには大きな違いがある。すなわち、彼は自分の善良さを確かめるために他人に親切なのである。

どれだけ人を手なずけられるか。どれだけ悩み事を相談してもらえるか。どれだけ人格者だと言ってもらえるか。彼にとっては、その数が全てだった。そのぴかぴかした星のバッジの数が、おのれの善良さを量る全てなのである。彼はそのバッジを飽きることなく集め続け、暇さえあればその数を数えているのだった。

この男にとって、彼女はそのバッジの一つだった。少し珍しいバッジ、なかなか手に入れることのできないバッジである。バッジを集めることが目的なのであるから、多少の困難は承知の上だ。彼が粘り強く彼女に声を掛け続けたのは当然といえば当然であった。

とにかく、二人は懇ろになる。

彼女は、ぽつぽつと身の上を語り始める。いつも何かをあきらめていたこと、いつも大事に扱われてこなかったこと。その原因が子供の頃の体験にあるのではないかと薄々感じてきたこと。

これまで誰にも話したことのない、その体験を彼女は彼にあちこち省略して（特に犯人との間柄については）おずおずと打ち明けた。彼女にとっては、最大限の勇気を振り絞っての告白である。

だが、男にとってはそうではなかった。

ああ、なるほど。

彼の反応はただそれだけだった。

これで納得できた。謎は解けた。

この瞬間、彼の中のガラスケースにバッジが納品された。

彼女の持つ影の正体、その淋しげな雰囲気を解く鍵は分かった。

つまりは幼児体験か。よくある話だ。

彼にとっての彼女の収集は、この時終わったのである。

もし彼が善人であるならば、これからが出番のはずである。彼女が必死に打ち明けた重い事実に対して、どう応(こた)えるのかが重要なのだ。彼女も、この先どういう反応を見せてくれるのかと、固唾(かたず)を飲んで目の前の男の言葉を待っているのである。

しかし、前述したように、この男は自分が善人だと信じているだけなので、そんなことは露(つゆ)ほども考えていなかった。彼は満足した。もう彼女には興味を失いかけている。

それでも、何か言葉を掛けなければいけないことくらいは承知している。彼はじっと返事を待っている彼女に、こう答えた。

まあ、そういうのは犬に噛まれたと思えばいいんだよ。

真の善人ではない人間が陥り易(やす)い罠(わな)として、ついつい常套句(じょうとうく)を使ってしまうということがある。相手の気持ちなど考慮していないため、どこかで聞いたような台詞(せりふ)でお茶を濁してしまうのだ。それらしい台詞、知っている台詞、形骸(けいがい)化した台詞。善人という役割を演じているだけの彼は、そんな役割にふさわしい、手垢(てあか)のついた台詞をついつい口にしてしまう。つまりは、自分の言葉で語っていないということなのだが。

彼女のほうにしてみれば、そんな言葉を返されたことに納得できるはずもない。これまで積み上げてきた関係に鑑（かんが）みるに、これから新しい何かが始まるはずであったし、もっと感動的な、胸に染み入る言葉が返ってくると信じていたのである。なのに、返ってきたのは、それだけ。

その台詞は、彼女もどこかで聞いたことがあった。その時も、こういうケースに対応する台詞として使われていたように思う。彼もそれを引用したことは間違いない。だが、彼女にはその台詞の真意がつかみかねた。

そういうのは犬に噛まれたと思えばいいんだよ。

ここで言う、「犬に噛まれた」というのは何を指すのだろうか。

一、珍しいことではない、大したことではない、という意味。

二、予測のできない突発的な出来事である、という意味。

三、とても忌まわしいひどい目に遭った、という意味。

彼女の頭にはその三つが浮かんだが、目の前の男の口調からいって、どうやらそれは三ではなく、一と二を合わせたもののようだと推定された。

次に、それでは彼は犬に噛まれたことがあるのだろうか、と彼女は考えた。彼女は犬に噛まれたことはない。しかし、それは相当恐ろしい体験なのではないかという予想はできる。もし彼が犬に嚙まれたことがあるのならば、その痛みと恐怖とを知っているはずであり、それに喩えるということは、もしかすると本当は三なのかもしれない。

彼女の胸に、かすかな希望が湧く。

彼女は男に尋ねた。

あなたは犬に嚙まれたことがあるの、と。

実を言えば、この時点でも、まだ男にはチャンスがあった。ここで「ある」と答えていれば、彼女との間に築き上げた信頼関係はまだ持ちこたえていたはずだ。膝にある古傷か何かを示したりすれば、もっと効果は大であった。

だが、ここでも男は何のためらいもなく「ないよ」と答えてしまう。そういう嫌なことは忘れてしまうに限るよ、とまで言い添えてしまう。

彼女はその返事を聞いて大いに落胆する。男の真意が、彼女の望んでいた三ではなく、やはり一と二であることを知らされてしまったからだ。

その落胆を抱えたまま、二人は床に就く。

片方は満足して。もう片方は納得できないまま。

男はすっきりした気分で気持ちよく眠りに就く。もう謎は解けた。明日からは別のバッジを探そう、と新種のバッジの夢でも見ているのかもしれない。その寝顔は無防備で、かすかな笑みすら浮かべている。

しかし、彼女のほうは気持ちが晴れないばかりか、勇気を出して打ち明けたことを深く顧みられなかったことで、最近はずっと忘れていたあきらめが、またしてもひたひたと身体の中に打ち寄せてくることを感じている。

かつてはずっと馴染(なじ)みだったが、今は追い払ったはずのあの感情が。

打ち寄せる波は、寄せては返し寄せては返しをしているうちに、徐々に別の感情に変わっていく。形容しがたい何か、かつて子供の頃に感じた何かに。

男は、夜中に目を覚ました。

頭の中に閃光(せんこう)が走ったような痛みで目が覚めたのだ。

彼は混乱した。この痛みは何だろう。意識のすぐそばで、非常に大きな痛みを感じている。今俺はどこにいるんだっけ。事故にでも遭ったのか。

突然、彼は痛みの中心が自分の耳にあることを悟る。

そして、その痛みとは、誰かが彼の耳に嚙み付いていることで引き起こされていることも。

男は悲鳴を上げ、自分の耳に嚙み付いている女を引き離そうと手を振り回し、自分にしがみついている女の身体を押した。しかし、女の歯はしっかりと彼の耳に食い込んでおり、生々しい臭いから、既に多くの血が流れ出していることが分かる。混乱と恐怖で頭が熱くなり、全身の血が耳に向かって流れ込み、そこからどくどくと生命が流れ出していくような気がした。

彼はパニックに陥る。

なぜこのような状況になってしまったのか、なぜ自分はこんな痛みを感じているのか、そんなことを考える余裕は今の彼にはない。とにかく、今味わっている肉体的苦痛と、その苦痛を自分に与えようとする意志に対する恐怖が、彼を突き動かしていた。けれど、彼が彼女を押しのけようとすればするほど、彼の耳にかかる力は大きくなり、いよいよ彼女の歯は彼の柔らかい耳たぶに食い込んでいくのである。

がりっ、という音がして、男はひときわ甲高い悲鳴を上げた。眩しい閃光が頭の中で爆発し、耳が弾けた。それは、彼の耳たぶが嚙み切られた瞬間であった。

既に血は流されていたが、一部を失った耳からは更に溢れるように血が流れ出してきた。

男は立ち上がり、耳を押さえ、つまずいたりぶつかったりしながら悲鳴を上げ、転がるように部屋を飛び出していってしまった。

がらんとした部屋。

静寂に包まれた部屋。

彼女は暫（しばら）くぼんやりと布団の上に座っていた。布団の上の真新しい鮮血がどんどん乾いて黒ずんでいくのを、無表情に眺めている。

やがて、彼女はのろのろと立ち上がると、台所の流しのところに行って、隅の生ゴミ入れに嚙み切った耳たぶをペッと吐き出した。茶殻の上に載っている耳たぶは、赤い花びら餅（もち）みたいだ、と思う。

彼女は開けっ放しになっていたドアを閉めて鍵を掛け、うがいをし、歯を磨き、生ゴミをまとめ、シーツを取り替えると、静かに眠りに就いた。

当然、二度と彼が彼女と口をきくことはなかった。

彼女は近所のレストランに行くことをやめてしまったし、恐らくは彼もやめたのではないかと思われる。あるいは、それきり姿を見かけないところを見ると、どこかに引っ越していったのかもしれない。

彼の耳たぶも再生することはなかった。

さすがに彼も、自分が耳たぶを失った理由は自分の発言によるものだと気が付いただろうし、経験のない常套句など使うべきではないということを肝（きも）に銘じたに違いない。彼はこのことを誰にも言わないであろう。そう、「犬に嚙まれる」ということがどういうことか少しは想像できるようになったからだ。

しかし、貴重な教訓を得たことに対しての感謝の気持ちはなかったらしい。

ここでも彼女が受け取ったのは、忌避と幻滅だけだった。

さあ、お待ちかね、いよいよスペインの苔である。

スペインの苔と彼女を結ぶものは何なのか。

彼女の説明によるとこうだ。

スペインには、珍しい苔があるんですよ。いや、ひょっとすると、スペインでは珍しくないのかな。

彼女は考え考え言葉を続けた。

とっても活動的な苔なんです。高いところが好きらしいです。電信柱をよじのぼって、電線に絡み付いて、空中にぶらさがっている、というのがお気に入りの状態なんですって。

だから、スペインの田舎では、電線に苔がいっぱいぶらさがっているんだそうです。

ええ、苔といっても、日本のものとはずいぶん違うようです。もじゃもじゃした、茶色と灰色の混ざった毛糸の塊みたいなものらしいんですけどね。

ねえ、想像してみてください。苔が電信柱をもぞもぞ登っていくところを。なんだかうきうきしてくる、微笑ましい風景でしょ。

彼女はにっこりと笑う。

乾いた平原に、電信柱が点々と並んでいて、その電線にはもじゃもじゃの苔が、幼稚園の誕生会の飾りみたいにずうっと続いている。そんな景色を思い浮かべると、いつもわくわくしてきちゃいます。

スペインの苔について語る時の彼女はとても楽しそうだ。

それで、その電信柱の並ぶ平原には一軒の小さな家があるんですよ。

彼女は話を続ける。

そこには、太った大男が一人で住んでいるんです。ずっとずっと長い間、子供の頃からです。玄関の扉が、いつも半分だけ開けてあります。男は、その半分の隙間から、外の電線にぶらさがっている苔が見えるように、テーブルと椅子を置いているんです。

で、男はいつもそこに腰掛けて、仕事をしながらずっと外の電線を眺めています。それが彼の唯一の楽しみなんですね。スペインの苔が、電線を伝ってゆっくり移動していくのを見るのが。

男の仕事は何かですって？

もちろん、男はおもちゃを作っているんです。小さいロボットを作って、世界中の子供たちに輸出してるんですよ。

このロボットは動くんです。

彼女はそっと打ち明けた。

実は、男がそこに住んでいるのは、材料を調達するためでもあるんです。ロボットの動力は、電線にぶらさがっている苔なんですね。苔は電線から電気を吸って、いつもエネルギーを充電しているんです。だから、この苔を少し削り取って、ロボットの中に入れれば、電池なんかいらないんですよ。子供のおもちゃだったら、一年くらい平気でもちます。

男は週に一度苔を採りに行きます。

ほら、庭師が使っている、長い長いハサミがありますよね。それを持って、垂れ下がっている部分を切り取って採集するんです。感電しないように、今ではプラスチックのハサミを使っているんですって。そうですよね、電線は危ないですものね。凧（たこ）が引っ掛かっても自分で取ってはいけませんって、子供の頃は、冬休みに入る前に毎年言われてたでしょう。

男は苔を採って、専用の籠に入れます。それを家に持ち帰って、ロボットの中に入れるために、均一の大きさに丁寧に切り分けます。電気が逃げないように、小さなビニールの袋にそれを一つ一つ入れていって、絶縁体でできた引き出しの中にしまっておくんです。男はそんな作業を何年もきっちり繰り返してきました。壁には、世界中の子供から来た手紙が飾ってあります。

だけどね、この苔にエネルギーがあることを知っているのは彼だけなんです。もし他の人が知っていたら、たちまちみんなが苔を採りに来るでしょう？　だから、このことは秘密なんです。

彼女はホッと小さく溜息をついた。

秘密を守っていくのって、結構大変なんですよね。

彼女は遠い目をした。

私、子供の頃、このロボットを持ってたんです。ほんのちょっとの乾いた苔が入ってるだけだったのに、長い間歩いたり喋ったりして、面白かったなあ。あんなおもちゃを持ってるの、私だけでした。この国にはあんまり輸出されてないみたいなんです。

ずっと肌身離さず持ち歩いていたんで、とうとう壊れちゃったんですけど。

彼女は残念そうな表情になった。が、すぐに笑顔になる。

だけど、ちゃんと苔の秘密は守り通しました。大男がロボットを作れなくなったら可哀相ですからね。彼には、いつまでもおもちゃを作り続けてほしいです。

彼女はそう言うと、自分のおなかをさすった。

この子が生まれたら、新しいのを一つ買ってやりたいな。

彼女は、もうすぐ臨月を迎える大きなおなかをいとおしそうに見下ろした。

以上が、彼女とスペインの苔との関わりである。いかに彼女にとって重要で、長い関係であったかがご理解いただけたことと思う。

彼女は今、幸せそうな結婚生活を送っている。花屋で働いている時に、お客だった今のご主人と知り合ったのだという。

生まれてくるのは、男の子のような気がするそうだ。

蝶遣いと春、そして夏

Lament for a Papillon Master

春は死者の季節である。

長い冬を耐え、水が温み、木々の芽が柔らかく綻ぶ頃を迎えて、ようやく死者が咲き乱れる季節がやってきたのだ。

懐かしい死者よ。待ち遠しかった春よ。

この時を待っていた人々が、白い衣装をまとい、色とりどりの吹流しを手に、野を、畑を密やかに行く。

それはまた、蝶遣いの季節でもある。

蝶遣いは家の裏庭に小さな温室を持っていて、そこで蝶を育てている。真珠のような卵が葉の裏に並んでいるのを満足げに眺め、成虫となって舞う日を待つ。

今しも、老いた男が孫と共に一人の蝶遣いを訪ねてきた。

町外れの黒い石造りの家だ。看板には、黒の蝶が描かれている。

蝶遣いは台所で蝶たちのために砂糖水を作っていた。呼び鈴の音に手を休め、そっと窓の外を窺う。訪問者が増えた。春が来たのだ。

蝶遣いは壁の暦を見ながら、男と山に入る日を相談する。

お湯が沸いた。蝶遣いは花を煎じた茶を淹れる。暗い客間に鮮やかな花の香りが満ち、華やいだ空気が広がっていく。

ふと、蝶遣いは、すぐそばでじっと彼を見上げている小さな少年に気付く。

蝶遣いになるにはどうすればいいの。

その目はひどく真剣だ。蝶遣いは少年に微笑みかけ、茶碗にお茶を注ぐ。

まずは花を育てることだね。蝶を集めなければならないから。

それから？

蝶の飛ぶところを見て、蝶の道を探せるようになることだ。

それから？

山の声が聞けるようにならなきゃならない。

それから？

それがみんなできたら、すぐにでも蝶遣いになれるさ。

お茶を飲みながら、少年は窓辺の鉢植えを見つめている。それとも、窓の向こうの裏庭を見ているのか。蝶遣いは、少年の視線の先にあるものを見る。

蝶遣いになるにはどうすればいいの。

甘い匂(にお)いのする温室で、黒いビロードのような羽を羽ばたかせ、ひらひらと舞い踊る蝶の群れを、歓声を上げ、手を広げて見上げている少年。山道を、蝶を追って駆けていく少年。木の幹に耳をつけ、流れる水の音を聞いている少年。

かつてそういう一人の少年がいて、彼は長じて蝶遣いになった。花を育て、蝶の道を探し、山の声を聞いて、蝶遣いになった。いい蝶遣いになれると囁(ささや)かれている四番目の条件も満たし——彼は蝶遣いになった。

春は死者の季節。

その日、空は穏やかに晴れ上がった。空気はまだしんとして冷たいけれど、柔らかい陽射(ひざ)しが世界に降り注いでいる。

町の外れの橋のたもとに、人々が集まっている。

黒い幅広の帽子をかぶった蝶遣いが、小さな虫かごを手に、祈りを捧(ささ)げている。

白い衣装を着た遺族たちが、彼を囲んで祈りの言葉を唱和する。

蝶遣いは虫かごを開け、温室から連れてきた蝶を放つ。

ひらひらと舞い上がる黒い蝶たち。

蝶遣いはしばらくその行方を見つめていたが、やがてその蝶を追って歩き出した。彼を先頭に、短い列が畑の中を進む。後ろについてくる人々が揃(そろ)って白い衣装を着ているのに比べ、先頭の蝶遣いは全身を黒に包んでいる。幅広の帽子の下の表情は、影になってほとんど見えない。彼に蝶遣いを依頼した老人は、九色の吹流しを空に掲げ、厳(おごそ)かに遺族たちの前を歩く。

やや風が出てきた。吹流しが横になり、ぱたぱたと風に煽られる。

蝶は、少し離れたところを飛んでいた。風に乗り、時に逆らい、黒い羽をひらひらさせて、彼らを山に導いていく。

蝶はつがいだ。人によってはもっとたくさん飛ばす者もいるけれど、この蝶遣いはいつもつがいに先導させることにしている。

風に蝶遣いの帽子のつばがはためく。もちろん、風はいつも蝶遣いを悩ませる。時折、山が怒っているのか、どうしても蝶が山まで飛べないことがある。こんな時は、日を改め、方位を変えてもう一度蝶を飛ばさなければならない。

今日は飛べるだろうか。

蝶遣いは、胸に下げた長い首飾りをつかむ。蝶の卵を模した、白い丸石を繋(つな)げたものだ。指で卵を数える仕草を繰り返し、蝶たちが無事彼らを導くことを祈願する。

蝶遣いは、空を飛ぶ蝶を見上げ、道を読む。

東の道を行くらしい。

蝶は、必ずしもいつも視界にあるわけではない。蝶の行き先を読んで、遺族をきちんとその場所に連れていくことが蝶遣いの役目である。

蝶たちはヒラヒラと大きな茨(いばら)の茂みを越えていった。

蝶を見失い、遺族たちは一様に不安な表情を浮かべるが、やがては順に前を向き、淡々と道を進む蝶遣いの後ろについていく。

山はゆったりと広がり、幾つもの丘陵に連なっている。山に入る道は何種類もあって、遠い鈴の音が幾つか重なりあって聞こえてくるところをみると、今日だけでも多くの蝶遣いたちが山に入っていることが窺えた。

山の中に入ると、空気が柔らかくなる。吹きさらしだった風が優しい囁きになり、若葉に差し込む光がチラチラと木々を輝かせ、咲き始めた花が芳香を漂わせる。

遺族たちもホッとした表情を見せるが、同時に別の緊張感が彼らの顔に浮かぶ。

ここからは別の世界。異なる世界なのだ。

蝶遣いは声を感じる。地を、森を覆う波動を。

最初に声を聞いたのはいつだったろう。

蝶の道が見え始めたのが面白くてたまらなかった頃、暇さえあれば師匠と共に山に入っていた。

ある日、ふと縞模様が見えた。一瞬、身体が宙に浮かんだような感覚だった。彼は、地面が歪み、波打っているように感じたのだ。その歪んだ部分が、濃いところと薄いところの縞模様になっているように見えたらしい。

彼は混乱した。自分の頭が、身体がどうかしてしまったのかと思った。しかし、師匠は静かに言った。聞こえたね、と。

文字通り、山の声は声なのだ。音は波となって、蝶遣いの中に打ち寄せてくる。場数を踏み、低い声やかすかな声まで聞き取れるようになって暫く経つと、今度はその声に奇妙な色が付いて見えるようになった。色、というよりも、淡い地模様といったほうがいいかもしれない。古い織物の文様のような、何か薄い布をかぶせたような色彩を感じるのだ。

今日も、山は声に満ちていた。先々から押し寄せる波が、重なりあって蝶遣いの中で揺れている。死者は待っている。訪れる者たちを待ちかねている。

蝶遣いは軽く目を閉じ、意識を集中させた。

山の声は、死者のところへ導いてもくれるが、妨げにもなる。いろいろな声が混ざりあって、目的地を遠ざけてしまうことすらある。

蝶遣いは一人になる。

声が消え、地面が消え、山が消える。

真っ白な世界で、上空を舞う蝶と自分だけになる。蝶遣いは、高く離れたところで絡み合うように舞っている蝶の姿を感じる。

道は間違っていない。蝶の道は天にあり、声に応（こた）えている。

色が戻ってくる。流れ込んでくる声に、蝶遣いは一瞬よろめく。声は美しいものばかりではない。時折、思わずたじろぎ、心が冷たくなってしまうような声も紛れこんでくる。

林の中の道は緩やかな登りになる。木々を包むかぐわしい花の香りに、人々の表情は追憶に揺れる。彼らは死者のかつての姿を思う。死者の面影を梢（こずえ）に捜す。

山に入って蝶たちを感じることができれば、あとは彼らについていくだけだ。

蝶遣いは、ほとんど目を閉じたまま山道を進む。

先ほどから、彼はずっと一つの声を感じている。遠いところから、一本の糸のように低く静かに彼に向かって伸びてくる声。気付いてはいたが、無視し続けている声。

胸のどこかに、針で刺すような痛みを感じる。ちくちくと繰り返される、すっかり馴染みになった懐かしい痛み。

ここにいる。ここに。今は行けない。そこには行けない。

蝶遣いはそっと胸の中で呟く。が、か細い声は、抗議をするようにまた蝶遣いの中に響いてくる。まだだ。今はそこには行けない。蝶遣いは声を自分の中から追い出す。

声は消え、静かになった。蝶遣いは安堵(あんど)する。

蝶を感じる。彼らは、声の届くところに入った。

蝶遣いは、上着の中から鈴を取り出し、一度だけ鳴らす。

後ろの遺族たちが背筋を伸ばすのが分かった。目的地に近づいたことを悟ったのだ。

足の下で草が音を立てる。真新しい草の匂いが立ち込め、人々の汗の匂いと交わる。

蝶遣いは、再び色を感じた。淡いミルク色のレースのような、きらきらした色だ。美しく、品がある。この花は、うまく咲いたに違いない。

道が細くなり、登りが急になった。苦しげな息が漏れ、地面の上を這(は)う。

不意に道が開ける。人々が、一斉に俯(うつむ)き加減だった顔を上げる。

皆が溜息を漏らした。

白い花が咲き誇る一本の木が、開けた丘の中腹に聳(そび)えている。誰もが、それが目指す場所だと直感したのだ。

細い一本道が木の根元まで延びていた。これまでも多くの人がここを訪れたのだろう。

人々はしずしずと木のそばに向かった。蝶遣いの目は、梢で羽を休めている蝶たちの姿を捉(とら)えている。ちゃんと彼らはいつものように先にたどり着いていた。

花咲き乱れる木の根元に人々が到着する。この美しい純白の花の中に、昨年逝(い)った老人の妻が咲いている。蝶遣いは、淡い光が花から伸びてきて、人々を包むのを感じた。

あの少年がパッと顔を上げるのを感じ、おや、と思う。

少年は、きょろきょろと周囲を見回し、怯(おび)えたような目で木を見上げた。

ほう。彼は、あの光を感じているのだ。蝶遣いは感心した。確かに、蝶遣いとしては有望かもしれない。

儀式が始まる。木の前に幕を張り、吹流しを立てる。

蝶遣いは祈りを捧げ、人々が唱和する。蝶遣いは鈴を鳴らし、それに合わせて人々が歌う。

儀式は終わり、人々は引き揚げていく。蝶遣いはその場に残る。これからの儀式は、彼一人で行うのだ。

蝶遣いは、木の根元に立つ。帽子を脱いで地面に置く。目を閉じ、首飾りを握り、幹に手を当てる。じっと祈りを捧げるうちに、掌(てのひら)がどんどん熱くなってくる。ぐにゃりと幹の溶ける感触がある。蝶遣いは木の中に入っていく。暗い幹の中を泳ぎ、光を放っている花を捜す。前方に光を感じる。純白に輝く花を見つけ、そっと枝を通して手を伸ばし、光を摘(つ)み取り、木の根に降りていく。

暗く、湿った世界。そこに死者の花を納める場所がある。

蝶遣いは深く深く降りていく。光が見える。今度は、月のような光だ。ひんやりした、静かな光を湛(たた)えた海がそこにある。ぼうっとところどころ塊のように点滅しているのは、他の蝶遣いが沈めた花だろう。

蝶遣いはそっと海の上に立ち、ゆっくりと花を海に沈める。最初はぷかりと浮かんでいた花が、やがて音もなく沈んでいく。

それを見届けて祈りを捧げてから、蝶遣いはそっと浮かび上がる。銀色の海から離れ、湿った木の根を通り、暗い木の幹から外に這い出す。

そこには、首飾りを握って幹を押さえている自分、いっしんに祈りの言葉を呟いている彼自身がいる。

ほんの短い時間、外側から見た自分が、次の瞬間には、もうすっぽりと重なり合って一人の蝶遣いになっている。

蝶遣いは長い溜息をつく。この瞬間が、一番安堵する時だ。

無事花を銀の海に沈められたことを感謝し、蝶遣いは帽子をかぶる。

眩(まぶ)しげに天を見上げ、木の梢にいる蝶たちを呼ぶ。

光に縁取られた黒い蝶が、ひらひらと舞い降りてきて、蝶遣いの虫かごに収まった。

蝶遣いは満足し、少し疲労を感じ、天を見上げる。

春は死者の季節。

その季節は、まだ始まったばかりだ。

太陽はゆっくりと動く。

花が咲き、花が散る。虫が、鳥が、獣が巣を作る。

日々が過ぎる。

蝶遣いは、訪ねてくる人々と暦を見て打ち合わせ、出かけていき、山に入る。蝶を放ち、蝶を追い、花を見つけ、地下の海に沈める。

温室で蝶を育て、砂糖水を作り、虫かごを手入れする。

花を煎じた茶を淹れ、一人暗い客間で一息つく。

あれ以来、少年が遊びに来るようになった。

一緒に草取りをしたり、花びらを干したり、裏庭で虫かごを作ったりして過ごす。

蝶遣いになれる？

少年はためらいがちに尋ねる。

蝶遣いは微笑むだけで答えない。それは彼が答えるべきことではないからだ。

そのことを感じ取ったのか、少年は口ごもり、俯く。

蝶を貰(もら)いに行こう、と蝶遣いは誘う。

貰う？

少年がその言葉を聞き咎(とが)める。蝶遣いは頷く。

そう、山に貰いに行く。

二人は連れ立って出かける。

穏やかな天気が続いている。今日も、山は鈴の音に満ちていた。

涼しげな鈴の音の漣が、あちこちから流れてきては遠ざかり、通り過ぎては消える。

蝶遣いは、今日もあのか細い声を感じる。彼に向かって響いてくる、あの密やかな声を。

ここにいる。今は行けない。

蝶遣いは心の中で呟く。声は、溜息をつくようにそっと消える。

丘陵地は、背の高い夏草に覆われ始め、そこここで羽虫が柱を作っていた。少年は歓声を上げて、草の中に駆けていく。

野生の蝶が、極彩色の紙吹雪のように空を舞っている。天が遠いところから、つかのまの祝福を降らせているかのように。

蝶遣いは、少年の蝶を貰おうとしていた。蝶遣いは、自分の蝶は、山に棲む野生の蝶から貰わなければならない。

彼を蝶遣いにしたいのかどうか、まだ分からなかった。素質はある。しかし、蝶遣いになることが彼にとってよいことなのだろうか。蝶遣いは迷っている。できれば、大工や農夫のような、普通の仕事に就いてほしいような気もした。その一方で、早晩あの子は蝶の道を見つけ、山の声を聞いてしまうだろうとも思っていた。

少年が大はしゃぎで網を振り回している。

蝶遣いは、彼を手伝う。

降り注ぐ蝶の中から、少年が手に入れたのは、太陽の果実の色をした蝶だった。

少年は、バラ色の頰を輝かせて、真新しい虫かごの中の蝶を見つめている。

彼にふさわしい蝶だ。蝶遣いはそう思う。

鈴の音を聞きながら、二人は日暮れの道を帰る。

蝶遣いは淋しいの？

少年が、不意に大人びた顔で訊く。

蝶遣いはちょっとだけ顔を動かす。

少年は足元を見下ろしながら不満そうに言った。

蝶遣いになりたいと言ったら、おじいちゃんが、あれは淋しい人間がなるもんだって。

春は死者の季節。

天が降らす紙吹雪。野を行く吹流し。

いつのことだったか、最後の条件を満たした日は。

そうだねえ。そのほうがいい蝶遣いになれると言われているんだ。

蝶遣いは風の吹いてくる方向を見ながら答える。

どうして？

そのほうが、山の声がよく聞こえるからだよ。賑（にぎ）やかな部屋にいる人は、外の雨の音や、向こうの畑で犬が吠（ほ）えていることに気付かないだろ？　あれと同じだ。静かな部屋にいれば、遠いところで誰かが泣いているのが聞こえる。

少年は、不安そうに蝶遣いを見た。蝶遣いは微笑むだけで、それ以上は何も言わない。彼の言葉の意味が分かるのはもっと先になることだろう。

少年の小さな手が、蝶遣いの上着をつかむ。

小さな虫かごを抱えて、二人は家に帰る。

夏が来る。

まだ死者の季節は続いている。

むしろ、山の声は一層高くなる。力を増す太陽に灼（や）かれて、山は緑に燃え上がり、花はところ構わず咲き誇る。

蝶遣いは夜明けに夢を見る。山の呼ぶ声にうなされる。春を過ぎても訪ねてこない係累を求め、不実な家族を呪い、山に棲む自分を嘆く声が彼の眠りを浅くする。蝶遣いは昼間も夢を見る。山に入る予定がない日も、手招きする声、打ち寄せる波を常に感じている。

夏の盛りを過ぎてようやく山に入る人は、どこか皆似ている。顔色が悪く、目はおどおどしている。夜の夢に怯え、何度も真夜中に目を覚まし、やっと死者を弔うことを決心した人々なのだ。

この時期、山に入るのはつらい。人々の足取りも重く、山を這う声は不穏な響きを帯びている。蝶たちも疲れてきて、舞い方は弱々しい。

じりじりと太陽が進む人々を焦がす。

蝶遣いはひどく汗を流している。

今日の山は、荒れる。この声は、あまりにも恐ろしい。

蝶遣いは、首飾りをしきりに握りしめ、石を数える。

どうやら、諍いの末、誤って命を落とした死者らしかった。道を行く人々の様子も陰鬱で、山の前で真っ青になって動けなくなってしまった者もいたほどだ。

蝶たちが声の届くところに入った。

蝶遣いの汗が、すうっと引いていった。黒い冷気のようなものが、身体を這い上がってきたのだ。地鳴りのような、呪いの声が、森全体を揺らしている。

蝶遣いはよろめいた。

この恐ろしい雰囲気を感じているのか、後ろに続く家族たちも、ぶるぶる震えて頭を抱え、地面に伏して動かなくなってしまう。それでも、蝶遣いは行く。あの花を海に沈めなければ、二度と山に入れなくなる。

歯を食いしばり、一歩一歩道を進む。顔が熱くなる。

彼はついにそれを見る。

一瞬、木が燃え上がっているように見えたが、それは血の色をした、しかも人間の手の形をした毒々しい花の群れだった。

蝶遣いは必死に祈る。樹上からしたたってくるような呪詛（じゅそ）の声を宥（なだ）め、長い時間をかけて諌（いさ）め、心を奮い立たせて木の幹に潜（もぐ）り込む。

ようやく手にした花は、燃えるように熱かった。

蝶遣いは苦痛に顔を歪め、必死にその熱さと戦いながら地の底に潜る。

暗い銀の海に落としても、花は暫く水面で燃えていた。なかなか燃え尽きることのない花に、蝶遣いはいっしんに祈りを捧げる。さあ、沈むんだ。黄泉（よみ）の世界に沈んでゆけ。

　こんなに長い間、海の上を漂っていたことはなかった。

　夏の終わりの花火のように、やっと火は燃え尽き、あっけなく花は沈んでいった。

　木の外に出た蝶遣いは、あまりの陽射しの強さに、一瞬、自分も燃え尽きてしまったのではないかと思った。

　気が付くと、外にいた自分の腕を、あの少年がつかんでいた。その顔は真っ青で、必死の形相で蝶遣いの手にしがみついている。

　どうしてここに。

　そう尋ねると、少年はワッと泣き出した。何かただならぬ気配を山から感じ、一目散に走ってきたという。

　生き延びた。少年の涙を見ながら、蝶遣いはようやく呼吸ができるようになった。もう、あの海から帰ってこられなかったかもしれないのだ。

　疲れ切った蝶を呼び戻し、二人は手を繋（つな）いで山を下りた。

　時が過ぎる。日が移ろう。
死者が喘（あえ）ぎ、泣き叫ぶ季節も終わりに近づいている。

夏のおしまいの日を迎え、蝶遣いはげっそりと痩せた身体で、山に入る支度をした。

今日は全ての蝶遣いが一斉に山に入る。誰も訪ねてこなかった死者を皆で宥め、皆で残りの花を沈めるのだ。この日はもう、蝶たちは必要ない。

あちこちから、呼び合う鈴の音がする。

蝶遣いが鈴を鳴らして山に入る合図である。

蝶遣いは、祈りの声を張り上げる。祈りの声と、山の声が重なりあい、森の上で渦を巻いている。

ふと、蝶遣いは足を止める。離れたところから、あの少年がついてくるのに気付いたのだ。

蝶遣いは厳しい顔で首を振るが、少年は帰ろうとしない。

暫く見つめあっていたが、蝶遣いが折れた。他の蝶遣いには内緒だ、という仕草をする。少年は大きく頷き、駆け寄ってきた。

鈴の音と蝶遣いの声があちこちから聞こえてくるのを、少年は興味深そうに目を見開いて聞いている。蝶遣いは、少年に自分から離れないようきつく言い聞かせた。

山は鳴っていた。揺れていた。阿鼻叫喚に包まれて、騒然としていた。地下に沈みたくない死者と、沈めたい蝶遣いたちとが戦っているのだ。

祈りの声は大きく、割れんばかりになる。蝶遣いの首飾りを探る手が速く、激しくなる。木々が揺れる。花が散る。風なのか、声なのか分からぬ突風が梢の間を駆け抜ける。

花が消える。敗北していく。逝く夏を、自分たちの季節を悼(いた)み、悲鳴を上げて花たちが次々と沈んでいく。

太陽が傾きかける頃になり、ようやく少しずつ山が静かになってくる。

鈴の音も、祈りの声も低くなり、小鳥の囁きのように、川面(かわも)の泡のように、やがては小さく消えていく。

陽射しが弱々しくなった。

山は、再び静寂を取り戻していた。

もう、鈴の音は聞こえない。呪詛の声もない。

ずっと蝶遣いにしがみついていた少年が、夢から覚めたように口を開けて道端に座り込んでいる。

夏は終わった。

蝶遣いは、夕暮れの風に耳を澄ます。

全ての声が消えたあとに、あの聞き慣れた小さな声が残っていた。

蝶遣いは、声に向かって小さく頷く。

分かっている。ここにいる。ようやく、全てが終わった。今からそこに行く。

蝶遣いは、少し冷たくなってきた空気を胸いっぱいに吸い込み、歩き始める。

それは、帰り道ではなかった。少年は不思議そうに顔を上げ、立ち上がって彼についていく。

蝶遣いは、もう帽子を脱いでいた。その背中が軽い。

どこに行くのだろう。少年は首をかしげる。遠くに、帰っていく他の蝶遣いたちの姿が見えた。

蝶遣いの足取りが速くなる。もう待ち切れないとでもいうように。少年の存在など忘れてしまったかのように。少年は、置いていかれないよう、必死についていく。

息を切らし、茂みを掻(か)き分け、少年は蝶遣いを追った。

少年は蝶遣いの姿を見つけ、立ち止まる。

いつもは結わえている長い髪をなびかせて、一人の男が丘の上に立っていた。

彼の前に、小さな木がある。もうほとんど葉だけになっていたが、ぽつんと、小さな青い花が咲いていた。

彼はそっと花に触れ、ゆっくりと口づけをした。

もうとっくに咲き終わっていたのだろう。その瞬間を待っていたかのように、ぱらりと花びらがほどけ、ひんやりした風に散っていった。

少年は散った花びらを目で追ったが、たちまちどこかに見えなくなった。

蝶遣いはそれからまだ暫くそこに立っていたが、思い出したように少年を振り返り、にっこり笑うと、帰ろう、と言った。

誰だったの、と少年は訊いた。

蝶遣いは微笑んで答えなかった。

少年は、小さな木を振り返りつつ歩いていく。

蝶遣いは、髪をなびかせ、坂を降り始めた。

今はまだ知る必要はない——最愛の者を亡くした者が、よい蝶遣いになれると言われていることは。

何か聞こえた？

少年は、もう一度振り返り、蝶遣いに尋ねた。

いいや何も、と蝶遣いは答えた。

橋

The Bridge

シケモク拾いも、もう飽きた。

アケミがそう思った時、彼女がその場所に配備されて既に三ヶ月が経過していた。

最初のうちは、結構いい煙草があった。シケモクといっても、ちょっとだけ吸って消してしまっていた煙草がほとんどだったし、アケミは酒や食べ物にはあまり興味がなかったから、煙草に全く不自由しなかったここは、ほとんど天国だったと言ってもいい。

「いー加減帰りたいわ。ピーちゃんに餌やらないと」

隣のシマを守っている鮎子姐さんが呟く。

「ピーちゃんて何？」

そのまた隣で爪を磨いている麻耶ちゃんが顔を上げた。

「インコよ、インコ。結構繊細なのよ。かまってやらないと臍曲げるの。店の若い子に任せてるんだけど、ちゃんと面倒見てくれてるかどうか不安だわ」

「ねえ、本当に、来るのかしら」

麻耶ちゃんはちょっと舌足らずな声で不安そうに尋ねる。

「分からないわ。でも、本当に来たら、もう東は終わりでしょ。ツケを払ってもらえないんなら、どっちでも同じよ」

「ツケと東の運命を同レベルで考えられるのは、鮎子姐さんくらいですよねえ」

「あら、何よ、アケミ」

鮎子姐さんは急に恐ろしい形相になった。アケミはヤバイ、と思う。鮎子姐さんは、普段はこの上なく寛大な女だが、いったん何か気に障(さわ)ると、夜叉(やしゃ)もかくやと思うほど凶悪になるのだ。

「だって、そうでしょ。お上(かみ)が飲み代払ってくれるわけじゃなし。あたしはお金を払ってもらえるんなら、西だろうが東だろうが土星人だろうが構わないわ。支払いの前では全てが平等。お客には二種類しかないわ、お金払ってくれる人とくれない人」

「はい、そうですね」

アケミは素直に頷いておく。

今日もいい天気だ。アケミの隣では、学生アルバイトの涼（りょう）ちゃんが洗濯物を干している。バリケードの裏に打ち込んだフックにピアノ線を張って、Tシャツやタオルをぴんと丁寧に伸ばして並べる。それを見ていると、昔、おじいちゃんが天日で鯵（あじ）の開きを干していたことを思い出してしまう。涼ちゃんはマメな子で、苦学生で、時間を無駄にしない。

「ねえ涼ちゃん」

「はい、何でしょう」

涼ちゃんは返事が素晴らしい。若い男の子がきちんと返事をしてくれると、なんだかそれだけで得した気分になる。

「あんたの学校も、ロックアウトされてるんでしょう。授業再開の見通し、立ってるの？」

「立ってませんよ」

涼ちゃんはにこにこしながらパイプ椅子を引き寄せ、参考書を開いた。彼は法学部の学生で、在学中に司法試験の合格を目指している。

「偉いわねえ、いつもコツコツ勉強してて」

うふふ、と涼ちゃんは笑って、シャープペンシルをくるりと回してみせる。

「小心者で、貧乏性なだけですよ。何かしてないと落ち着かなくて。でも、東と西が統一されたら、きっと弁護士がいっぱい必要になるだろうと思って」

「涼ちゃんが弁護士になったら、あたし、お嫁さんにしてもらおうっと」

麻耶ちゃんが爪をチェックしながら呟いた。

「どうかしら、これ」

マニキュアの塗りあがった爪を鮎子姐さんに見せると、姐さんは顔を引き目を細めた。鮎子姐さんも老眼が進んだな、とアケミは思った。

「ちょっと派手じゃない？」

「ここ、爪がよく乾いていいのよね」

麻耶ちゃんはバリケードの上に両手を広げた。オレンジ色の爪が十個並んでいるところは、子供の頃食べた缶入りのドロップのようだ。

「つまりは、それと同じだけお肌から水分が失われてるってことですね」

麻耶ちゃんの隣で、大きな麦藁(むぎわら)帽子をかぶり、カーディガンを羽織って座っていたケイコが呟く。

「やなこと言うわねー」

麻耶ちゃんは渋い顔をした。Tシャツ姿ですっぴんの麻耶ちゃんと、日焼け対策の鬼であるケイコは対照的である。ケイコは神経質にサングラスをいじった。

「麻耶ちゃん、紫外線ケアは若いうちからやっておかないと駄目です。メラニンの沈着は年々深刻になります。目や唇も日焼けするんですよ」

「ケイコちゃんは色白だもん。あたし、元々地黒だしー。ローションとか日焼けどめ塗るの、大嫌い。べたべたするし、皮膚呼吸できなくなる気がして」

「こんにちはー。毎度」

馴染みのヤクルトのおばさんが来た。

あちこちで小銭を取り出す音がして、鮎子姐さんはミルミル、アケミはジョアのプレーンを買う。

時間はまったりと過ぎ、白い雲が動いているのを見ていると眠くなる。

橋の警備兵の交代の時間が来た。いつもの儀式。上から誰かが紐を引いているんじゃないかと思うくらい、ぴったり同じ歩き方でやってくる。

「ねえ、例えばよ」

鮎子姐さんがふと思いついたらしく口を開いた。

「あたしがあの橋を渡ったらどうなるの？」

アケミは、共用テーブルに置いてある巨大な灰皿を指で漁った。今朝から何度目だろう。さっき、長いのを見たような気がしたのだ。煙草を探しながらも、口は動いている。

「どうして渡るんですか」

鮎子姐さんは小さく肩をすくめた。

「さあ。ちょっと向こうまで、なんとなく景色が見たくなったからって言って、あの警備の兄ちゃんににっこり笑って、すたすた橋を渡っていったらどうなるのかしら」

「まず警備兵に引き止められるんじゃないかな」

「それから?」

「向こうから撃たれるんじゃないの」

「でも、あの橋は西でも東でもないのよねえ」

「マニュアルによると、橋の上は治外法権ということになってます」

ケイコが口を挟んだ。

「ちがいほうけん?」

麻耶ちゃんがきょとんとする。

「東の法律も西の法律も適用されないということです」

「青いナンバープレートの車のことよ」

鮎子姐さんがミルミルを飲みながら呟いた。

「ちょっと、そういやケイコは誰の代わりに来てんの？」

鮎子姐さんは、当番表を見て尋ねた。

ケイコはちょっと躊躇（ちゅうちょ）してから低く答える。

「カネヒラさんです」

鮎子姐さんは目を剝（む）く。

「カネヒラ？　あんた、まだあの男と切れてなかったの？」

ケイコはむきになった。

「違います、ちゃんとバリケード当番の報酬はいただいてます。あの人、今大変なんですよ、奥さんに先立たれて、お子さんまだ二人とも小さくて、唯（ゆい）ちゃんはアトピーだし」

鮎子姐さんは溜息をつき、麻耶ちゃんとアケミは同情の目でケイコを見た。ケイコは男運が悪い。ケイコを見ていると、善良だがツキのない男というのは最悪だなと思う。

「――ケイコちゃん？」

その時、恐る恐る声を掛けてきた男がいた。

みんながその男に注目する。

若いのに頭が薄くなり、ひどくやつれた表情の男がじっとこちらを見つめていた。

そこの当番はどこかの大銀行の割り当てになっているらしいのだが、そこに回されてくる男は熾烈な社内抗争の敗者らしく、皆うなだれて悲愴感を漂わせているので、周囲の当番はいつも見ないふりをしていたのだ。

「ひょっとして、フジワラ君？」

ケイコが呟くと、男は感激した面持ちで大きく頷いた。

「そうだよ、笹本ゼミで一緒だったフジワラだよ。いやあ、びっくりした。こんなところで会うなんて」

「まあ、お久しぶりです。偶然ね」

二人は堰を切ったように凄い勢いで話し始めた。

「ゼミ？」

涼ちゃんが不思議そうにケイコとフジワラを見ている。

アケミはそっと囁いた。

「ケイコちゃんは、ヒトツバシ、首席で出てるのよ」

「ええっ。ど、どうして」

涼ちゃんはそう言い掛けて、慌てて言葉を飲み込んだ。アケミは苦笑した。どうしてこんな商売をしているのか、と言いたいのだろう。

「さあね。経済を実地で体験したいとか言ってたけど、手っ取り早く家族を養うお金が欲しかったってことでしょうね。お父さんを早くに亡くしてるし、お母さんは病気だし、双子の弟はひきこもりだし」

「そうなんですか」

涼ちゃんは複雑な表情でケイコを見た。フジワラは涙を流しており、ケイコは同情に満ちたまなざしでその話に聞き入っている。アケミは嫌な予感がした。ケイコはまた一人、悪運の男につかまってしまったらしい。

「全く、いつまでこんなことしてるのかしらねえ」

鮎子姐さんは、バリケードに寄りかかってケイコを冷めた目で眺めている。

「こんなこと？」

アケミはようやく探し出した煙草に火を点ける。

「向こうが大攻勢を掛けてきたって、どうしようもないわ。あたしら、武器だって持ってないんだから。ただここに当番で座ってるだけ。それも九時から五時まで。

馬鹿（ばか）らしいったらありゃしない。最初の頃はどうだったか知らないけど、今や、ただここに頭数が揃ってるっていうだけで満足してるわけでしょ。ここに座ってることが大事なら、マネキン人形でも座らせておけばいいのよ。お客さんの頼みだから、雀（すずめ）の涙ほどの報酬でここに座ってるけど、クリーニング代の足しにもならないわ」

「あの噂、本当なんですかあ。もうじき西が大攻勢掛けてくるって」

麻耶ちゃんが尋ねる。

「デマに決まってるわ。これまでだって何度もそんな噂流れたけど、みんなガセだった。第一、ほんとに大攻勢掛けてくるんなら、あんな警備兵二人ぽっちのわけないじゃない」

鮎子姐さんはいまいましそうに呟く。

「でも、ここの橋って、たぶん戦略的にみて、結構重要な場所だと思うな」

涼ちゃんが珍しく口を挟んだ。

「重要な場所なら、なんであんなに警備が手薄なのよ」

「さあね。ここの重要性に気が付いていないだけなのかもしれません。だけど、僕が西だったらこの橋を早いうちに取って、ここの集落を占拠するな。そうすれば、東は大きな兵站（へいたん）輸送ルートをいっぺんに二つも失うことになる」

「ふうん。こんなチンケな橋がねえ」

アケミはふうっと煙を吐き出した。

「でも、嫌あよね。この頃じゃ、あたしたちみたいなのにバリケード当番させるのが男の甲斐性、みたいな感じになってて」

麻耶ちゃんが呟いた。

「どこぞのママが俺の当番代わってくれた、とか、俺はもう三回だ、とか自慢してるの聞いちゃったら、なんだかねー」

「そうそう。忙しいふりする男に限って、他人の時間奪うのは平気なんだから」

アケミも同意する。

「それで、最近商売してる人もいるみたいですよお。ママが当番する権利を売る、みたいな」

「へえ」

鮎子姐さんが興味を示した。

「いいじゃない。誰が当番してるかなんて分かりゃしないんだから、ばんばん権利だけ売ればいいんだわ」

「そうなの」

麻耶ちゃんは頷いた。

「『佐倉（さくら）』のママもそう考えたらしくって、その権利を濫発（らんぱつ）しちゃったらしいんですよー。それがお客さんにバレちゃって、みんな疑い深くなっちゃって、最近じゃあ、本当にママが当番してるかどうか、興信所に調べさせてる人もいるみたい」

「アホらしい」

アケミは鼻で笑った。

雲は流れる。どこかでラジオが鳴っている。鮎子姐さんは、顔にタオルを掛けて居眠りを始めた。セットが崩れないように、椅子に座ったまま眠るのは彼女の得意技である。

「涼ちゃん、西に行ったことある？」

煙草を押し潰（つぶ）し、アケミが尋ねた。

「いいえ、ありません」

涼ちゃんは参考書から顔を上げて、きちんとアケミのほうを向いて答える。

「あたし、あるわ。奈良で大仏見たの」

「へえ。やっぱり、大きいんですか」

「うん。すっごく大きいの」

涼ちゃんは眩(まぶ)しそうな目になった。

「見てみたいなあ。昔は、みんな修学旅行で見に行ったんでしょう？」

「そうらしいわね」

沈黙が降りた。涼ちゃんが、遠慮がちに尋ねる。

「西には、どなたかいらっしゃるんですか」

「うん。家族は向こうに住んでる」

アケミは前を向いたまま答えた。

「アケミさんだけがこっちに？」

「そう」

「アケミさんは、ごきょうだいは？」

「弟がいるわ」

「西に？」

「うん。小学校の先生やってるの」

「へえ。似てますか？」

「人は似てるって言うわね」

鮎子姐さんが目を覚まし、ふわあああ、と欠伸(あくび)をし、腕時計を見て首の後ろを掻(か)

いた。

「あら。もう三時よ。お茶しましょ」

「はーい」

麻耶ちゃんがトートバッグから魔法瓶を取り出す。アケミもタッパーを取り出した。鮎子姐さんは、お茶うけに漬物がないと機嫌が悪い。

「涼ちゃんもどう？」

麻耶ちゃんが笑いかけると、涼ちゃんは素直に頷いた。

「いつもすみません。いただきます」

そこここで湯気が上がっている。みんな、お茶の時間だ。カップラーメンを食べている人もいるし、どこかからヤキソバを作っている匂(にお)いが流れてきた。バリケード当番のために買ったホットプレートは会社の経費で落とせる、と誰かが言っていたような気がする。

「ケイコは？」

鮎子姐さんはきょろきょろした。

ケイコはまだフジワラの話に聞き入っている。ずいぶん長い間話し込んでいるが、さっきよりも表情は深刻だ。いよいよフジワラの話は佳境にさしかかっているらしい。今では、ケイコのほうが涙を流していた。

「ありゃ駄目だ。ほっときましょ」

鮎子姐さんは手をひらひらと振って、みんなの方に向き直った。

「ちょっと、アケミ、今日の沢庵、マズイわ」

ぱりっといい音をさせて沢庵を齧った鮎子姐さんが、ジロリとアケミを見る。

「すみません、いつものお店がお休みだったんです」

アケミは神妙に頭を下げた。

「やっぱり味源の沢庵でなきゃ駄目ね」

ずずっ、と鮎子姐さんはお茶を啜る。

「鮎子姐さん、そういえばこれ。シンちゃんから預かってきたの」

「あら、何」

「石鹸です。シンちゃんのロンドン土産」

アケミは真ん丸の形をした紙包みを渡した。シンちゃんは腕のいい美容師だ。鮎子姐さんは別の美容院に通っているけれど、シンちゃんのことを気に入っている。

「まあ、いい香りね。よろしく言っといて」

「今度飲みましょうって言ってましたよ」

「いいわね。合コンね。シンちゃんとこの子は、みんな器量好しだから楽しみだわ」

「警備兵さんも、大変ですよねえ。あんなところに一日ずーっと立ってるなんて」

　麻耶ちゃんが呟いた。

　橋のたもとの、直立不動の警備兵をぼんやり眺めている。

「いいのよ。あの人たちは、あたしたちよりずーっといいお給料貰って、あそこに立ってるんだから」

　鮎子姐さんは、すげなく答える。

「あれっ」

　麻耶ちゃんが声を上げた。

「何よ」

「橋の上に人がいる」

「え？　警備兵じゃないの？」

「ううん、なんだか普通の人っぽいよ。こっちに走ってくる」

　みんなが振り返った。

　確かに、誰か来る。コンクリートの橋の上を、男性らしき人影が駆けてくる。

バリケードの内側にいた他の人たちも、その人影に気が付いたらしい。一人、また一人と立ち上がり、ざわめきが起こった。

「何だ？」

「民間人か？」

ざわめきは大きくなり、みんながバリケードにつかまって騒ぎ始めた。

警備兵も気が付き、銃を構えて橋の上を向く。

人影は、立ち止まることなくこちらに向かってくる。若い男のようだ。

「止まれ！」

警備兵は銃口を向け、叫んだ。

「止まれ！　止まらないと撃つぞ！」

警備兵の顔色が変わっていた。もう一人が、ハンドトーキーでどこかに連絡している。

サイレンが鳴り始めた。詰め所から、バラバラと警備兵が駆け出してくる。

それでも、若い男は止まらなかった。もう橋の半分を過ぎて、こちらに近づいてきている。

「――英司（えいじ）」

アケミがぽつんと呟いた。が、次は金切り声で絶叫する。

「英司！」

みんながギョッとしたようにアケミを見た。アケミは真っ青な顔で橋の上を食い入るように見つめている。

「ひょっとして、あの子」

鮎子姐さんが男とアケミを交互に見た。

「アケミちゃんの弟？」

「英司！」

アケミがバリケードを乗り越えようとしたので、慌ててみんなで引き止めた。

いったいどこにこんなに人がいたのか、次々と警備兵たちが飛び出してきて、それまでの長閑（のどか）な光景は一転し、騒然とした雰囲気になった。

「英司、英司」

アケミは真っ青な顔で、みんなの手を振りほどこうともがく。

「アケミちゃん、落ち着いて」

「アケミさん、バリケードを越えると、懲役三年以下の刑罰の対象になります」

いつのまに戻ってきたのか、ケイコが叫んでいた。

「もう、ずっと会ってないの。二年も。お父さんの具合が悪いらしいの」

アケミは熱に浮かされたように呟く。ようやく男は立ち止まり、自分に銃を向ける警備兵と押し問答になった。雰囲気は険悪だ。橋のこちら側でも、複数の警備兵が銃を構える。

「なんて馬鹿なの。あれじゃあ、撃たれちまう」

鮎子姐さんが舌打ちし、大きく手を振って叫んだ。

「戻りなさい！　死にたいの！」

「英司！　お父さんは？」

アケミも叫ぶ。が、声は届かない。男は必死に何事か話しているが、警備兵が左右に首を振る。カチャカチャと銃を構える音が響く。警備兵が何か叫んだ。若い男はよろよろと両手を挙げる。

「やめて！　撃たないで！」

「戻れ！　戻るんだ、馬鹿！」

アケミの悲鳴と鮎子姐さんの罵声(ばせい)が響く。

「撃たないでぇえ！」

アケミが叫んだ。

鮎子姐さんが、素早いモーションで、何かを投げた。

丸いものが、びゅっと音を立てて、男の一番近くにいた警備兵のヘルメットに当たる。

警備兵はぎょっとした顔で振り向いた。他の兵士も一斉にこちらを振り返る。

「今だ！」

鮎子姐さんが叫んだ。

若い男はハッとしたように後退り（あとじさり）すると、駆け出した。こちらを振り返らずに、全力疾走する。みるみるうちに姿が小さくなっていく。

警備兵たちは、慌てて橋を振り返ったが、既に男は遠ざかっていた。

男は橋の真ん中を過ぎ、向こうに戻っていく。

警備兵は、それをじっと眺めているだけだ。

「――アケミちゃん」

みんながアケミを見た。

アケミは真っ青な顔のまま、静かに涙を流していた。

鮎子姐さんは、小さく溜息をつき、アケミの肩をそっと叩（たた）いた。

「ごめん、アケミ。せっかく貰った石鹸、投げちまったわ。シンちゃんに謝っといて」

「ううん、いいの」

アケミはゆっくり首を振った。

「ありがとう、鮎子姐さん」

潮が引くように、警備兵が引き揚げていく。

男は、橋を渡り切り、向こう岸に着いた。向こうの警備兵が、男の両腕をつかみ、左右を挟んで連れていくのが見えた。

バリケードの内側で鈴なりになって成り行きを見守っていた人々も、無言のまま元の場所に戻り始めた。たちまち、いつもの弛緩した雰囲気が戻ってくる。

フジワラが、呆然とした顔で立っていた。

「――凄い。さっきの、百五十キロくらい出てた。コントロールも抜群だ」

「鮎子姐さん、社会人野球のエースだったのよ。巨人がスカウトに来たくらいなんだから」

ケイコが誇らしげに頷いた。

「え？　社会人野球？」

フジワラが目を丸くして鮎子姐さんを見ている。

再び、辺りは静かになった。

みんなで漬物をつまみ、お茶を啜る。

「涼ちゃん、もういいの？」

腰を浮かせた涼ちゃんに、麻耶ちゃんが尋ねる。

「はい。ごちそうさま」

涼ちゃんは静かに微笑むと、いつも座っている椅子に戻り、参考書を取り上げた。

みんなも魔法瓶とタッパーを片付け、所定の位置に戻る。

太陽がゆっくりと傾いていく。

アケミは、ごそごそと指で灰皿の中を漁った。

「涼ちゃん」

「はい、何でしょう」

涼ちゃんは、丁寧に返事をする。

「奈良の大仏って幾らくらいするのかなあ」

涼ちゃんは顔を上げ、頭の中で計算する表情になった。

「さあねえ。買えるものなんですかねえ」

「買って、お店に置いておきたいわ」

「収納場所に困りそうですね」

白い雲が動いている。

もうすぐ、当番の時間も終わりだ。

蛇と虹

Serpents and Rainbows

ああ、ねえさん、血のような夕陽が沈むわ。

あたしたち、あんな色、生涯で二度しか見ていない。

世界が死に絶えたような黄昏（たそがれ）、風すらも息を止め木々や大地が不吉な色に染まる。

こんな時、誰もが静かに壊れていくのね。料理女は亭主を刺す肉切り庖丁（ぼうちょう）を籠（かご）に忍ばせ、聖職者は一人で祈る孤児を犯そうとカーテンをそっと持ち上げる。普段は閉ざされていた引き出しや小箱も、今日は雄弁になる。隠匿（いんとく）された手紙も、忘れられていた秘密のロマンスも、小さく咳払（せきばら）いをして囁（ささや）き始める。

ああ、ねえさん、あの色を見てちょうだい。

あんな色、生涯で二度しか見ていない。

こんな夕暮れ、あたしたちは静かに滅びていくのね。血のような景色の中で、色彩と粘液を失い、あたしたちは朽（く）ち果てていく。だからお願い、あの時の話を聞かせて。あたしたちがこの色をまぶたに焼き付けたあの日の夕暮れのこと。

可愛いいもうと、あんたはいったい何の話をしているの。

何のためにこんな美しい夕暮れを禍々しい色に染めようというの。不吉な言葉で自分を貶めるのはやめて。血のような夕陽ですって？　冗談も休み休みお言い。あんたの目にはくすんだ紗の布が掛かっているようね。

ご覧なさい、あの宝石のような空を。南国の鳥の羽のように煌めく色の変化を。夜の帳が降りるにはまだ遠く、水晶のように透き通って堕ちていく太陽の行方を。

そうね、あんたは昔から心配性だったわ。道を横切る猫の尻尾に、納屋の庇で鳴く烏の影に、いつも蒼ざめ震えていたっけ。何の心配もいらないと言い聞かせても、あたしの服の裾をギュッと握り締めたまま離さなかったっけ。

そんな不安な目で見ないで。あたしはあんたのその目が苦手なの。その目で見られていると、頭の中に霞が掛かって、どこか遠いところで黒い弦が不穏に鳴り始めるの。

あんたが言うのはいったいいつの夕暮れのこと？　あの日っていつなの。あたしたち、いつも睦まじく、子犬のように、サンザシの花のように、じゃれ合ったり笑い合ったりしながらうまくやってきたじゃないの。

そうよ、あたしたちは詩を作り、戯曲を書いたわ。おばあさまの誕生日には二人で寸劇を贈ったわ。可憐な姉妹に皆が拍手喝采。あんたは薔薇色に頬を紅潮させ、あたしは膝を折ってポーズを取ったわ。あの日も素敵な夕暮れだった。ひょっとして、あの時のことではなくて？

ああ、ねえさん。こんな色見たことがない。

いいえ、嘘よ、二度だけ見たことがあるはず。

確かにあの日のことは覚えているわ。おばあさまの誕生日。あたしたちはお揃いの白い服を着て歌ったの。硝子の花瓶が夏の湖みたいにきらきら光っていた。温かい笑顔の輪があたしたちを包んでいたわね。

床には犬が寝そべっていた。ほら、あの大きな黒い犬よ。ねえさんがよく枕にしていたあの犬。いつも大人しくて、あたしたちが寄りかかっても平気だった。犬の上に広がって輝いていたねえさんの髪が目に浮かぶ。名前が思い出せないわ。あたしは眠れなかったけれど、ねえさんはよく黒い犬の上でうとうとしていた。速い犬の鼓動を感じながらねえさんはまどろんでいたの。だけど、あの日のことではないの。

ねえさんが撃った、あの黒い犬がまだ元気で床に寝そべっていたあの日ではないの。

ねえさんは、あの犬を撃ったわね。どうしてだったかしら。よそゆきの服に、じゃれついて汚したからかしら。それとも、あたしのほうになついていたからかしら。あたしが茶色の髪のいとこと遊びに行ったからかしら。

だからあの日のことではない。

懐かしいわねえ、あの茶色の髪のいとこ。遠い街に住んでいてめったに会えなかったけれど、明るい目をして、ひょろりとのっぽで、みんなが夢中になっていたわ。あたしも、近所の女の子たちも。そしてねえさんも。そうでしょう?

あたしたちは爽（さわ）やかな初夏の午後に出かけた。あの時ねえさんはいなかった。決して置いていったわけじゃない。あたしたちが家の中を探した時、たまたまねえさんはいなかったの。柔らかな風に誘われて、彼は待ちきれなかっただけなの。

輝く草原に、彼の茶色の髪がなびいていた。枝を投げて遊んだ。犬も無邪気に跳ね回っていた。彼は小枝を拾って投げたわ。小枝がくるくると宙を舞っている。犬は一目散に走っていった。

銃声が響いたわ。

明るい初夏の青空に、明るい銃声が響いたの。

飛び上がった犬が、そのままの姿勢でどさりと草の上に落ちたわ。艶やかな黒い毛の上に、赤いものが流れていた。誰かが犬を撃ったのよ。遠くから、あの黒い犬を撃ったの。あたしたちは、呆然と犬を見下ろしていた。赤いものを流し、ぴくぴくと身体を震わせ、やがて動かなくなるまで犬を見つめていたの。哀しかったわ。あたしたち、手を取り合って泣いたわ。あたしたちの目の前で動かなくなった犬のために。

みんなで、農園の隅に犬を埋めたわね。お祈りをして、黙祷を捧げたわ。ええ、あの日の夕暮れはこんなではなかった。あたしが覚えている二度の夕暮れとは違うの。

あの時、一緒に祈りを捧げたねえさんの服からは硝煙の匂いがした。ええ、覚えているわ。ねえさんはあの犬を撃ったのね。でも、本当かしら？　本当にねえさんはあの犬を撃ったのかしら？　もしかして、たまたまあの犬に当たってしまったのではないかしら？　もしかして、ねえさんは別のものを撃とうとしていたのではないかしら。ああ、あの犬の名前は何といったかしらね。

可愛いいもうと、あんたはいつも夢を見ていたわ。嫌な夢、怖い夢、悪夢ばかりがあんたの長い夜を埋めていたのよ。覚えてないの？ あたしはいつもあんたの髪を撫でていた。あんたの背中をさすり、小声で子守唄を歌ってあげたのよ。隣のベッドで、小さなスミレの縫い取りのある枕の上で、あんたはよくしくしく泣いていた。あんたはいつも悲しい夢を見ていた。そして、その夢が現実とごっちゃになってしまっていたの。

あたしは、あんたを悪夢から取り戻そうと必死だった。毎朝、あんたの夢の話を聞いて、その夢から明るい結末のお話を作り出して、あんたを安心させていたのよ。そうね、今にして思えば、あの習慣があたしたちにお話を書く力を与えてくれたのね。朝な夕なに二人で語り合ったお話が。あたしたちはそうしてこれまでお話を作ってきた。あたしたちの成功は、あの二人きりの時間が産みだしたものかもしれない。

黒い犬ですって？ そんな犬はいなかったわ。おばあさまは犬がお嫌いだったもの。犬を家の中に入れることなど絶対にお許しにならないわ。あんたの勘違いよ。あたしは犬など撃ちはしない。銃など触れたこともないわ。

あんたは夢見がちな子供だった。その黒い犬も、あんたの夢の中の登場人物なのよ。

けれど、ちっちゃな黒髪の娘はいたわね。いつもあたしたちにまとわりついて、砂糖でべたべたになった生温(なまぬる)い指であたしたちに触ろうとしていたあのちっちゃな娘。

あの子はいとこの彼にもまとわりついていた。うるさい蠅(はえ)みたいに、彼の周りをぶんぶん飛んでいたのよ。みんながあの子を迷惑がっていた。

確かあの夏、花火の事故があったわ。ちっちゃな黒髪の娘は、木箱にしまってあった花火にも手を触れたの。あのべたべたした、砂糖まみれのちっちゃな手で。

明るい銃声など聞こえなかった。鈍い爆発音が、遠くから地面を伝わってきて、みんなが何だろうと天井を見上げたわ。シャンデリアの硝子がかちゃかちゃと小刻みに揺れた。まるでいやいやをするみたいに。

ちっちゃな黒髪の娘は、頭が燃えてしまったの。燃え残りのマッチ棒みたいに、黒い炭の頭がかさかさになっていたそうよ。

だから、銃声なんか聞こえなかった。黒い犬なんか床に寝そべってはいなかったの。

そうでしょう、可愛いいもうと。

あんたのその目を見るとあたしは不安になるのよ。あんたの見た悪夢があたしの頭の中に、あんたの目から注ぎ込まれてくるような気がするの。そうすると、遠くで黒い弦が鳴って、頭の中に霧が立ち込めてくる。胸の底の沼に、重い石がずぶずぶ沈んでいくような心地になる。

ああ、ねえさん、世界が血の色で燃えている。

こんな色をいったいどこで見たのかしら。

もどかしいわ。じれったいわ。

だけどあたしは覚えているのよ、確かにこの色をこの窓辺で見たことを。

誰かが立っていた。窓辺に二人。すらりとした男性と、華奢（きゃしゃ）な女性が並んでいる後ろ姿。そんな情景を確かに覚えているのよ。

世界に二人きりのような二人。絵のような二人。古い大きな額縁に入れて飾っておきたいような情景なのよ。

不思議ね、あの二人を思い浮かべると、膝を蛇（へび）が這（は）うのよ。

細い蛇なの。赤い模様の入った小さな蛇よ。決まって左足から膝に登ってきて、ちょろちょろと膝の上を這って、気持ちが悪いんだけどくすぐったい。とても利口な蛇。どうやら、ずっと昔からあたしのことを知っているようなの。

毒は持っていない。決して嚙んだりはしないわ。なぜかあたしの膝を這って、いつのまにか視界の隅をどこかへ消えていくだけ。

待って。よく考えてみれば、膝だけじゃない。蛇はいろいろなところを這っていた。

こんな風景を思い出すわ。床一面に花びらが敷き詰められていて、その上を蛇が這っていた。ビロードのような花びらの上で、蛇の赤いうろこが煌めいて、不思議な手品でも見ているような心地になったの。むせ返るような花の香りが、床の上の大量の花びらから立ちのぼっていて、あたしたちの服に、髪に、染み付いていった。とてもたくさんの花びらよ。昔の静物画みたいに、いろんな花の花びらが、茎が、葉が、生々しい匂いを撒き散らしていた。植物なのに、獣のような匂いを。

待って。花びらの上に誰かが横たわっている。

あれはねえさん？　変ね、ねえさんによく似た誰かよ。誰かと抱き合っている。茶色の髪の青年と、抱き合って、横たわっている。だけど変だわ、動かないの。二人とも、抱き合ったまま動かない。指先が茶色く染まっているのはなぜ。

部屋がぐるぐると回っている。横たわる二人を中心に、速度を上げて大きく回りだす。

変ね、部屋じゅうを蛇が這っている。赤い蛇があんなにたくさん。

まあ、可愛いひと。

あんたは今もあの夢を見ているのね。

あたしたちは、あんたが見たあの夢で小さなお芝居を作ったのよ。

「花びらの褥（しとね）」。ほら、覚えているでしょ。他愛（たわい）のない小品。目を覚ましたとたんに忘れてしまいそうな明け方の夢から作ったお話。

月の光に照らされた青い花びらの上に横たわる恋人たちは、決して目覚めることはない。そんなお話よ。

恋人たちは、いつまでも目覚めることなく、同じ夜の虹（にじ）の夢を見ているの。そんなお話。

あんたがその夢の話をした朝をよく覚えている。

――ああ、あれはおかあさまが亡くなった日の朝だったわ。あたしたちがその夢の話をしている間に、おかあさまはもうこときれていたの。おとうさまがあたしたちを呼びに来た時、まだあたしたちはその話をしていたわ――

夜の虹を見たわ。

あんたはそう言った。その目でじっとあたしを見て、そう言ったの。あの時のあんたは怖がってはいなかった。あたしをじっと見て、夜の虹を見たと言ったのよ。

あんたは話し続けた。

あたしは、花びらの上に横たわっていた。誰かと抱き合って、死んだように横たわっていたの。身体は冷たくて、花びらの香りが鼻に残って、頭の中まで香りでむせ返りそうだった。指先までが氷のように冷たくて、自分のものではないようだったわ。

あんたは話し続けた。

――おとうさまが呼びに来るまで。

そのひとは、あたしの恋人だった。二人は恋人どうしだったの。だけど、二人は死んだように眠っているのよ。冷たい身体で、抱き合ったまま。そして、同じ夜の虹の夢を見ているの。不思議ね、花びらの上に横たわっている二人が見えるのに、あたしは彼と夜の虹の夢を見ていた。暗闇（くらやみ）の中に、綺麗（きれい）に弧を描く七色の虹が静かに浮かんでいるところを、二人で目を閉じてじっと見つめていたのよ。

あんたはそう話してくれたわ。

あたしはあんたの目を見つめて、その話を聞いていた。

スミレの縫い取りのある枕の上で。薄暗い朝の陽射しの中で。

——おとうさまがあたしたちを呼びに来るまで。おかあさまが亡くなったと、あたしたちに知らせに来るまでずっと——

不思議ね、ねえさん。

あたしもその夢のことを思い出したわ。静かな夜の虹。死んだように眠る二人。あたしは床の花びらの上に横たわる二人を見ながら、二人が夢見る夜の虹も見つめていたっけ。だけど変ね、そこに蛇が出てくるの。横たわる二人から、何匹も赤い小さな蛇が逃げ出していくの。よく見ると、女の首には赤い蛇が巻き付いているわ。見たことのある顔なの。よく知っている顔なのに、思い出せない顔なのよ。

ああ、なんだかねえさんに似ている。

このひとは誰。この日亡くなったひとではないかしら？　この日亡くなったひとは誰なの？　あたしたちのよく知っているひと？

そうよ、この日よ。あの色を見たのはこの時。

横たわる二人は、ゆっくりと朽ち果てていく。

花びらと共に、色彩と粘液を失い、徐々に腐って乾いていく。そこに、あの真っ赤な夕映えが覆いかぶさる。色彩を失った部屋が、血の色一色に染まってゆく。そうだわ、きっとこの日なのよ。今もあたしのまぶたに焼き付いているわ。

ねえさん、お願い、この日のことを教えて。

さあね、今となっては思い出せないわ、可愛いひと。

もうそんなこと、どうでもいいんじゃなくて?

あたしたち、いろいろなことをしてこの部屋で遊んだわ。あんたに夢中になった、あの作曲家もよく訪ねてきたわね。ほら、ハシバミの実によく似た目をしたあの男よ。あんたのことを、僕の駒鳥(こまどり)と呼んでいたっけ。散歩が大好きで、あんたへの土産はいつも散歩道で手折(たお)った花だったわね。

思い出せる? あたしたちの戯曲の初演のお祝いの夜。こんな狭い部屋にあんなに大勢の人が入ったのは、後にも先にもあの晩だけだった。みんなに貰った花束をばらして天井から降らせたし、子供の頃から夢だった花びらつなぎだって。

楽しかったわね、部屋のそここで小さなロマンスが。窓辺で花火を見て、お酒を飲んだわ。陽気なメロディーが流れて、氷がグラスの底に落ちたわ。

七色の花火。あたしたちは、窓から花を投げた。懐かしい、夏の夜の出来事。

そうよ、あんたが見た色はこの花火の色。

陽気な音楽と、ちょっとしたおふざけと、お祭り騒ぎのあの夜の花火の色よ。花火はあたしたちから色彩を奪い、子供のような目で空を見上げているあたしたちを同じ色に染めた。

誰かが話していたわ。

中国では、蛇も虹も同じ仲間の字を使うのだと。蛇は地を這い、虹は天を這う蛇なのだと。その話を聞いて、あたしは想像したわ。

夜の虹に、赤い蛇が絡まっていく。蛇は夜の虹をじわじわと締め付ける。足元から這いあがり、音もなく蔦(つた)のように絡みついていく。

なぜかって？　さあ、どうなんでしょう。蛇にとっては、それが愛なのか憎しみなのかも分からないの。ただ締め付けたいから、渾身の力を込めて締め付けているだけなのよ。蛇は音もなく虹に絡みつき、長い時間をかけて夜の虹を絞め殺す。

やがて、蛇の身体からふっと力が抜けて、蛇と虹は色彩を失って闇の底に落ちていく。そこには、静寂だけが残る。

どう、ちょっといい話でしょ。

あたしたちの戯曲に使えるんじゃなくて?

――そうよ、あの晩、花火の色に染まった部屋に、二人がやってきたわ。さりげなく微笑みながら、あたしたちの部屋を訪ねてきたのよ。あたしたちは何も知らされていなかったっけ。おとうさまが、あたしたちと同い年の娘を連れてあたしたちのパーティーにやってきたの。おかあさまの棺の蓋を覆って間もなく、あのひとはしばしば姿を現していたわ。あたしたち、何も知らされていなかった。あのひとは、微笑みながら、あの晩あたしたちの部屋にやってきた。花火の色に染まった部屋で、おとうさまが贈ったばかりの指輪を鈍く光らせて――

ええ、あの作曲家のことはよく覚えているわ。

ねえさんは、あのひとのことがあまり好きではなかったわよね。

よく、あのハシバミの実に似た目をぱちんと割ってしまいたいと言っていたっけ。

優しいひとだった。時々一緒にあのひとと午後の散歩道を歩いたわ。自分の作った曲で、低く口笛を吹いていた。あのひとのなめらかな声が好きだったの。

あのひとはよく、そっと散歩道を逸(そ)れて野生の樹木から花を取ってくれたわ。ためらいがちに手を伸ばして、季節の花が咲いている枝を折り取ってあたしに渡してくれたの。

あたしがその花に唇を寄せると、恥ずかしそうな顔になったわ。ええ、あたしはあの恥ずかしそうな目が好きだったのよ。

ああ、駄目だわ。

あの優しい目も、声も、花の感触も指の間をすりぬけていってしまう。

彼のハシバミの実に似た目を思うと、膝を蛇が這うのよ。

赤い模様の蛇。

あたしのことをずっと前から知っている、細くて小さな、毒のない蛇が。

どうして彼の目が消えてしまうのかしら。赤い蛇が左足から這い登ってくる。

優しい風。春の散歩道。

何か恐ろしい事故があったのよ。季節が変わる頃、次の季節の花が咲く頃に。

あのひとは、その日もいつもの散歩道を歩いていた。

次の季節の花が咲き始めていたあの散歩道を。

あのひとはいつものように、あたしに贈る花を探していた。あのひとは、道を逸れて草の中に歩き出した。咲き初(そ)めたライラックの木に手を伸ばしたの。

何もないただの田舎道よ。牧草地でもない、農地でもない。

なぜ草の中にあんなものがあったのかしら。いったい誰があんなものを仕掛けておいたというの。

あのひとは悲鳴を上げたはず。大きな獣を挟むための罠（わな）が、あのひとの足を骨を砕くほどの凶暴な力で挟んだ瞬間、あのひとの手から咲き初めたライラックの小枝が落ちたはず。自分の足から流れ出した血を見てあのひとは叫んだはず。

ああ、そんな恐ろしい事故があったのかしら。

嘘よね、きっとこれも夢。冷たい夜風の音に震えて、あたしが幼い日に見た嫌な夢に違いないわ。駄目なの、左足から赤い蛇がやってくる。

何も思い出せない。まぶたに焼き付いた血の色の夕焼けの他には。


美しい夕暮れ。

あんたはどうしてこの美しさを汚そうとするの？

ああ、なんて素晴らしい眺めなんでしょう。

こうして見ている間にも、ますます空は透き通り、天上の音楽が地平線に鳴り響く。こんな神々（こうごう）しい夕暮れを、あんたは昔見た夢で台無しにしようとしているんだわ。

そういえば、あたしは一度だけ、こんな美しい夕暮れを見たことがある。

窓辺に佇(たたず)む絵のような一組の男女を、こんなふうに眺めていたことがある。

そうよ、あの日、あたしたちはここにいたわ。

お昼を過ぎた頃から、ここに潜んでいたのよ。ここならベランダから見えないことを知っていたし、こちらからはベランダがよく見えたから。

あたしたちは、二人の背中を眺めていた。

すらりとした背中、それに寄り添う華奢な背中。夕暮れの陽射しに、彼女の指輪が鈍く光っていた。

二人は、あたしたちに気付きもしなかった。

あたしたちが、部屋の暗がりの中で、じっと息を潜めていることに、露ほども。

あたしたちは、息を呑(の)んで、暗がりの中で手を握り合っていた。固く固く、闇の中で締め付け合う蛇と虹のように。

時間がなかった。

二人の結婚式が、翌週に近づいていたの。

あたしたちは明け方の夢を語り合いながら、決心を固めたの。

あたしたちは、あの日を選んだ。素晴らしいお天気が約束されたあの日、愛し合う者たちならば会わずにはいられないあの美しい日を。

あたしたちは、あの日、一言も喋らなかった。喋る必要なんてなかった。あたしたちは自分たちが何をすべきかを知っていた。あたしたちの愛する者を失わないために、どうすべきなのかをよく知っていたのよ。

あたしたちは練習を重ねた。

遠い沼地や、石切り場の隅で、何度も練習を積み重ねたわね。

美しい夕暮れ。

あの日、あたしたちは今日と同じくらい素晴らしい夕暮れを見つめていたわ。夕暮れの中に寄り添って立つ、二つの背中と共に。

そして、あたしたちは引き金を引いたの。

花火のような明るい銃声が、透き通る空に響いたわ。

ああ、ねえさん。血のような夕陽が沈むわ。

あたしたち、あんな色、生涯で二度しか見ていない。

どうしてこんなに胸騒ぎがするのかしら。幼い頃に見た夢が、今もあたしを訪れているのかしら。あたしたちの書いた詩も、陽気な舞台で演じられたあたしたちの台詞（せりふ）も、この胸騒ぎを掻（か）き消すことはできないの。

あたしたちは何を守ってきたの。赤い蛇はどこへ行ったの。

もうあの蛇はあたしの膝へはやってこない。左足から登ってきて、うろこをくねらすこともない。いつもやってきたあたしの蛇は、とうとうあたしを捨ててどこかへ行ってしまった。

可愛いいもうと、蛇はもういないわ。

なぜなら、夜の虹と共に闇に落ちてしまったから。色彩を失い、闇の中に消えてしまったから。蛇はなぜ虹を締め付けたのかを知らない。愛なのか憎しみなのか、それを確かめる術（すべ）を蛇は持たない。

ただ蛇は渾身の力を込めて虹を締め続ける。共に力尽き、闇の底に落ちるその瞬間まで。

ああ、可愛いひと、あたしをそんな目で見ないで。

あんたのその目にじっと見つめられると、なんだかとても不安になる。頭の芯（しん）がぼんやりと霞（かす）んで、遠いところで黒い弦が鳴る。

あたしはもう、あんたの明け方の夢を知らない。

小さなスミレの縫い取りのある枕で目覚めることもない。

もうあたしには、あんたの夢から、明るい結末を引き出すことはできないわ。あたしは闇の中に落ちてしまった。

あたしたちは色彩と粘液を失い、こうしてここで静かに朽ち果てていく。


ああ、血のような夕陽が沈むわ。

ねえさん、誰かが来るわ。

血のような夕焼けの中を、誰かがこちらに向かってやってくる。

なぜかしら、とても懐かしいの。あのひとをずっと昔から知っている気がする。

あのひとが、あたしたちが守ってきたものを知っているような気がするの。あのひとならば、あたしの蛇を取り戻してくれる。もう一度、ねえさんの夜の虹だって取り戻してくれるに違いないわ。

ああねえさん、血のような夕焼けの中を、あたしたちの大切な誰かがこちらに向かってやってくるのよ――

「ご覧、怖いような夕焼けじゃないか」

「もう風が冷たいわ。中に入りましょう」

恐ろしいような美しい夕焼けの中、ベランダに立っていた男女は、夕方の風にかすかに身体を震わせると、ゆっくりと部屋の中に入っていった。

「あら、何か喋っているわ。言葉にもならないのに」

女はくすっと笑った。

部屋の隅に置かれた小さなベッドの中で、生後数ヶ月の双子の姉妹が泡のような呟きを交互に漏らしていた。

男は満足げな笑みを漏らし、大きな手で娘たちを抱き上げた。

何かをぶつぶつと呟く娘たちを連れて、彼は夕暮れの光の中に歩みだす。

「ほうら、ご覧。世界はこんなにも美しい。この夕陽に約束しよう。私はこの美しい世界を手に入れて、全てをおまえたちに与えてみせよう」

娘たちは小さな目を見開いて、恐ろしいような夕焼けを見つめている。

互いの過去と未来の夢が、そのまぶたの裏を通り過ぎるのを感じながら。

夕飯は七時

Supper's Ready at Seven

我が家では、夕飯はいつも七時だ。

もちろん、僕らは夕飯まで暇だから、外で遊んだり、仲良く宿題をしたりする。兄貴は真面目(まじめ)で、妹はまだちびだから、三人で宿題をするっていうのはなかなかいい考えだ。

だって、ちょろちょろしたがる妹のスカートを押さえたまま宿題をするのは難しいからね。兄貴と一緒に妹を見張りながら、ついでに算数を教えてもらえるってわけだ。うん、兄貴は成績がいいんだよ。

この辺りには、僕らが遊べるような子たちが住んでいなくって、淋(さび)しいと思うこともある。たまにはきょうだい以外の子と遊びたいなって、正直考えるよ。

だけど、ここによその子が来たらどうなるんだろうって不安になる。三人だけだからなんとかなっているけれど——僕らは三人とも全然性格が似ていないからうまくやっていると思うんだけど、この先妹が大きくなってきたらどうなるか分からない。早いところそれぞれ違うところに行ったほうがいいんじゃないだろうか。だって、あまりにも考え方が違うんで、時々面倒なことになってしまうんだよ。なにしろ、このあいだの、「やぶからぼう」の時はひどかった。兄貴はどうしてもハードな方向に走りがちなんだ。おまけになんでもかっちり作りたがるから、苦労したよ。もうちょっと柔らかいものを想像してくれよ、と兄貴には頼んだんだけど、ごめんごめん、どうしても我慢できなくて思い浮かべちゃったんだ、と兄貴も謝っていた。

それを言うなら、「つんつるてん」の時のおまえだってひどかったじゃないか、と暫くしてから兄貴が文句を言った。

そう言われると、僕も弱い。確かに、あれは僕の責任だ。僕は動くものや、生き物が好きだから、つい。

だけどさ、一番やばいのは妹だと思うよ。この子ときたら、いったい何を考えているのやら僕らにもさっぱり予想できないんだから。まだそんなにうまく喋れる歳じゃないしね。

僕も兄貴も、「じっぱひとからげ」でいったい妹が何を想像したのか、未だに分からないくらいだし。

だから、僕らは気を付けている。みんなは僕らのことを注意力が散漫だの、人の話を聞いていないだの、あまり言葉を交わさないクールなきょうだいだなんて言うけれど、それは僕らの努力を知らないからだ。僕らはみんなのためを思って、わざとそうしているんだから。

うん、宿題の時はいいんだ。みんな違うことをしているし、あまり声を出したりもしないからね。兄貴も僕もよく心得ているし、最近はめったに失敗しない。ポケットには、いつも胡椒（こしょう）が入ってるしね。

困るのは、テレビを見ている時だ。やっぱり、テレビはみんなで見ているからね。兄貴と僕の好きな番組は同じだし、見ている意味は分からなくても、妹だってかぶりつきで見ている。

全く、大人なんだから不用意な発言はやめてほしいよ。僕らの知っているような、易しい語彙（ごい）で台詞を書くべきだ。

もっと困るのは、古い映画やニュースを見てる時だよ。ちんぷんかんぷんな話をされると、うんと困る。そうそう、「ちんぷんかんぷん」でも苦労したっけ。

「ちんぷんかんぷん」はうんと最初の頃だ。あの時は何がどうなってるのかちっとも分からなくて、兄貴も僕もおたおたしていたっけ。

あれはもう随分前のこと——パパが死んだばかりで、おじいちゃんがうちに来てくれるようになった時——あ、おじいちゃんだ。

もうじき六時だものね。今日も裏木戸を開けて、おじいちゃんが赤い顔をして機嫌よく入ってきたよ。もう一杯きこしめしてる、ってやつだね。きこしめしてる、って知ってる？　最初は僕らも分からなかったよ。あの時も苦労したな。

うん、おじいちゃんが、僕らの夕飯を作ってくれるんだよ。なにしろ、ずうっとレストランを経営していたくらいだから、料理を作るのが早くて上手なんだ。おじいちゃんがいなかったら、僕らもママもとっくに飢え死にしていたに違いない。おじいちゃんはあんなに上手なのに、ママはからきし料理は駄目だからね。もうお店は若い人に譲っているんだけど、おじいちゃんは毎日お店に顔を出して、常連さんとまず一杯飲んでからうちに来てくれる。

おじいちゃんは愉快な人だ。細かいことなんか気にしない。時々僕らの名前も忘れちゃったりするけど、それくらいおおらかな人で助かっている。

でもさ、なにしろおじいちゃんだから、僕らの知らない言葉をいっぱい知っているし、声も大きいから、たまに大慌てするはめになるけど、おじいちゃんはあんまり気にしてないみたいだ。

さあ、今日のおかずは何だろうな。

「いい子にしてたか？　んん？」

赤ら顔のおじいちゃんが入ってくる。

僕らは気持ちよく迎えるよ。大好きだからね、おじいちゃん。おいしいご飯を作ってくれて、ぬいぐるみみたいな大きな身体をしていて、しかも僕らの失敗に気付かないでいてくれるおじいちゃんのことを嫌いになれるわけないじゃないか。

おじいちゃんは、ラジオを点(つ)ける。その日のニュースを聞きながら料理を作る習慣なんだ。おじいちゃんは手際よくスーパーで買ってきた食料を取り出し、冷蔵庫に入れるものは冷蔵庫へ、すぐ使うものは流しへと分けていく。僕らの役目は、後片付け。お皿やお鍋(なべ)を洗う速さは、僕も兄貴もちょっとしたものだ。

そうそう、ラジオというのも危険なんだよね。

少なくとも、テレビだったら、画面に映るから、聞いたことのない言葉でも、ひょっとしたら今映ってるあれのことかもしれないと考えることができる。だけど、ラジオだと不意打ちが多いんだよ。できれば、音を小さくしてほしいんだけど、おじいちゃんはちょっと耳が遠いから、やたらと大きな音でラジオをかけるんだ。ほらね、僕らがこっそりボリュームを下げておいたのに、またあんなに上げちゃった。

うーん、困るな。政治関係のニュースだ。

「——過日受託収賄（じゅたくしゅうわい）の罪で在宅起訴されたY代議士は党本部での記者会見に臨み、先に報道されたコンベンションセンターの建設入札についての疑惑は事実無根であると報道関係者に訴え——」

あわわわ。

僕は慌てて妹を見る。妹は、テーブルの隅でお絵かきに熱中していた。よかった。聞いてないね。

だけど、僕の頭の中ではいくつかの言葉が焼きつきかけている。かじつじゅたくしゅうわい。ざいたくきそ。けんせつにゅうさつ。じじつむこん。いけない、いけない、何も考えちゃいけない。

「しゅうわい」って何だろう、なんて。「きそ」って、なんだか鳥の名前みたいだな、なんて考えちゃいけないし、「けんせつにゅうさつ」なんか白くにゅうっと伸びるおばけみたいで——

突然、テーブルの真ん中から白い頭がするっと飛び出してきた。

頭はサッカーボールくらい。牛乳飴のような白さで、のっぺりとしていて、ひんやりしている。ちょっと舐めてみたいようななめらかさだけど、なぜか目が三つある。

僕は呆然とその顔を見つめる。

おじいちゃんは鼻歌を歌いながら流しで野菜を洗っているから気付かないけど、結構シュールな眺めだよね。

そいつはぼんやりとテーブルの真ん中にいた。でも、ちょっとぶるっと震えると、更にむくむくと大きくなる。

「うわあ」

僕は慌てた。そいつの身体は、鉄骨でできていた。頭の部分は柔らかいお餅みたいな感じなのに、途中から積み木を組み合わせたみたいな、がっちりした鉄骨になってしまっている。

僕は兄貴を見た。宿題をしていた兄貴と目が合う。

やっぱり兄貴も、「けんせつにゅうさつ」が何か想像しちゃったんだ。兄貴は「けんせつ」の部分に反応して、鉄とかコンクリートのことを考えたに違いない。僕は「にゅうさつ」のほうに反応したわけだけど。

僕らは慌ててポケットから小さな胡椒の罎を取り出し、蓋を開けて鼻のところに持っていく。たちまち大きなくしゃみが出た。

天井の電灯のところまで伸びかけていたそいつが、しゅうっと消え失せる。

ほっとした。

おじいちゃんがパッと振り返る。

「今日、懐かしいお客さんに会ってなあ」

僕らは慌てておじいちゃんの顔を見て、話を聞いています、というふりをする。

おじいちゃんは、なんだか年取った猫に似ている。このニコニコ笑う顔に、猫の髭を付けたらぴったりなんだけど。

「そいつは昔船乗りだったんだけどね。食いもんの趣味がちょっと変わってる。魚大好き、ゲテモノ大好き。まあ、顔のまずい魚は美味いというからな」

おじいちゃんはクスクス笑う。

ゲテモノ、は分かる。前に調べたから。

それでも僕はひやひやする。

「そいつが言うことにゃ、最近、毒のある魚にはまっているらしい。いろいろ種類があるけど、毒のある魚を食べると、ぴりっと痺れる感じがするらしいんだな。それがたまらんのだと。実際、そういうのを食べすぎて死んだ奴も大勢いるらしい。身体に悪い馬鹿だなと思うだろ？　だけど、人間ってのはそういうもんなんだよ。身体に悪いと知っていてやめられない。下手すりゃ命を落とすと分かっていても、ついついそういう危険なものに引き寄せられちまう。な？」

おじいちゃんは鍋をかき混ぜながら煙草にコンロの火を貰って一服する。

もちろん、ちらっと僕らを見て目配せするよ。だって、ママに、子供たちのいるところで煙草を吸わないでって、いつもきつく言われているからね。

「そいつが、俺の好きな魚の毒がなんて名前か知ってるか、って聞くんだ」

おじいちゃんは考え込む表情になった。

「そいつはその名前が気に入ったらしくて、何度も呪文みたいに繰り返してたな。えーと、えーと――」

僕は嫌な予感がした。このところ、こういう勘がどんどん鋭くなってきている。

そりゃ、誰だって何度も危険な目に遭えば、こうなると思う。

「テト――テト――」

耳を塞ぐべきだろうか？　いやいや、みんなが聞いていなければいいんだ。兄貴が計算に没頭していてくれればいいんだけど。だって、僕はその名前が聞きたいんだもの。困るのは、恐らく兄貴もその名前を聞きたいと思っているってことだ。

おじいちゃんはパッと顔を輝かせた。

「そうだ、テトロドトキシンだ！　テトロドトキシン！」

僕らは凍りついたようになった。

てとろどときしん。

初めて聞く名前。

インパクトは抜群だよ。一度聞いたら忘れられないね。響きもなんだかカッコいい。ドラマチックな感じすらする。まるで、とっても強いＴＶドラマのヒーローみたいじゃない？

きっと、兄貴も聞いていたはず。おじいちゃんの大声だし、二度も繰り返してくれたんだもの。

おじいちゃんはその名前を思い出して満足したのか、鍋に向き直って再び鼻歌を歌いながらアク取りを始めた。

「――きしん」

そう小さな声が聞こえて、僕はぎょっとした。

慌てて振り向くと、妹が顔を上げて、ぼんやり口を開けている。

まずい。妹も今の名前を聞いてしまった。しかも、ちゃんと繰り返している。

兄貴と僕が胡椒を取り出す前に、床がどぉんと盛り上がってきて、僕は椅子から転げ落ちてしまった。

みるみるうちに茶色い箱みたいなのがせり出してくる。

床がボートに乗っているみたいに揺れて、僕と兄貴は地面に張り付くのが精一杯だ。

「おい」

兄貴がテーブルから転げ落ちるノートと鉛筆を救おうと試みたが、失敗した。

「胡椒を、あいつに」

僕も叫ぶが、床が波打っていて頭ががくがくする。

「てとろどときしん」

妹の無邪気な声がした。

僕と兄貴は顔を見合わせる。

やっぱり、妹が加わると、てきめんに、強力ででかいのが出現するのだ。こいつが一番やばいと言った理由が分かってもらえると思う。

しかし、今回のこれは、どういう意味があるんだろう。

茶色いチョコレート色した、でかい泥ダンゴみたいなのが出現していた。いや、茶色の蛸と言ったほうが分かり易いかな。

僕が「泥」を連想したっていうのは分かる。だけど、てっぺんからバットみたいなとげがいっぱい、針山みたいに突き出しているし、中には鉄砲や槍や刀が飛び出しているんだよ。シンバルまであって、かしんかしんと鳴っている。おまけに、大きな椰子の木も生えている。蛸の足の部分は裾がひらひらのスカートみたいに広がっていて、隅っこはレースみたいになっていて、金ぴかのリボンがたくさん結んであるし、なぜか泥ダンゴの裾のべとべとの沼のような場所で羊が何頭か転がってメェメェ鳴いてるんだ。

「何なんだよ、これ。兄貴は何を考えたんだ?」

僕は、おじいちゃんのほうに行こうとする羊の尻尾を必死に押さえながら叫んだ。

「今日、学校でベトナムの地理と歴史をやったんだよ」

兄貴が情けなさそうな声を出し、足元でメェメェ動き回る羊に手を焼いていた。

「ベトナム?」

「ベトナムにはテトって言葉があるんだよ」

テト。なるほど。

「ベトナムに椰子の木があるのかい？」

「ジャングルがあることは確かだ」

「この羊は？」

「羊とリボンはきっとあいつだよ。あいつに胡椒をかがせろ」

金ぴかのリボンは蝶ちょみたいにひらひら宙を舞っている。なんだって妹はこんなものを想像したんだろう。だけど、こんなに巨大で凶暴な茶色の蛸を出現させたのはこいつだから、なんとかまずこいつに胡椒をかがせなければならない。

妹は、飛び回る金ぴかのリボンを追いかけていた。

「ちび！　おい、こっちにおいで！」

僕は叫ぶが、妹は聞いちゃいない。「てとろどときしん」は聞いてたくせに。

羊肉は大好きだけど、このモコモコした羊たちには閉口だ。羊を掻きわけ、妹に近づく。

もう、羊で部屋じゅういっぱいだ。おまけに、床には泥の波が押し寄せてきて、僕らの服も泥だらけ。ママが見たら卒倒しちゃうね。

ここでおじいちゃんが振り返ったらどうなるんだろうといつも思うんだけど、不思議とおじいちゃんは振り返らない。特に、味付けの最中はとても集中していて、何も聞こえないらしいんだ。

茶色い蛸と、椰子の木と、シンバルと、羊たちだよ。妹がこれ以上成長して、もっと大きなものを想像するようになったらと思うと気がめいるね。

妹はちょこまかしているので、僕らは分が悪い。金ぴかのリボンに夢中で、僕らの苦労なんか気にかけてないし。

泥の海を泳いだことある？　とっても大変だ。学校のプールで、服を着たまま泳ぐというのをやったことがあるけど、それよりも大変だよ。

兄貴がやっと妹のスカートをつかまえた。

妹はつかまったことにも気付いていない様子。兄貴は引きずり戻して、妹の顔に胡椒を浴びせる。

くしょん、くしょん、と妹はくしゃみを始めた。

突然、羊が消えた。リボンも大部分は消えたが、まだ二、三個その辺りを飛び回っている。

「よし」

だけど、まだ泥沼と蛸と椰子の木はそのまんまだ。

蛸は昔のＳＦ映画の怪物みたいにくねくね踊っていて、僕らに覆いかぶさってこようとする。

僕と兄貴は大きなくしゃみをした。

おじいちゃんが振り返る。

「ママの仕事はどうだい？　おや、何してるんだ？」

床の上に座っている僕らを見て、おじいちゃんは目を丸くする。

「鉛筆が落ちちゃって、捜していたんだよ」

僕と兄貴は、鉛筆とノートを拾い上げて笑ってみせた。

全く、泥の海を泳いだあとで、何もなかったかのようににっこり笑ってみせるのもつらいもんだよ。

「今月はいつもより苦しそうだね。このあいだ、風邪引いちゃったから、予定が二日くらい遅れてるんだって」

僕は何食わぬ顔で椅子に座り直す。兄貴もそうだ。

「今日はまだ顔見てないよ。昨日から二階にこもりっぱなしなんだよ。よっぽど煮詰まってるんだと思う」

兄貴も冷静な声で答える。

「そうか。あれも大変な商売だなあ。もう少し売れると楽になるんだろうけどねえ。

うちのお客さんにも有名な先生がいるけど、いつも優雅に看板まで飲んでるぞ。とてもママと同じ仕事の人とは思えないねえ」

おじいちゃんは憮然(ぶぜん)とした顔でスープの味見をしている。

「でもまあ、あの子は昔から空想好きだったからねえ」

おじいちゃんは柔和(にゅうわ)な顔になる。

「小さい頃から、一人で絵本を書いたり、自分で作ったお話をしていたものさ」

やっぱり、おじいちゃんはママのことが自慢なのだ。

ママは小説家だ。推理小説を書いている。犬や猫と話ができるおばあちゃん探偵のシリーズを書いているんだけど、ママに言わせると、売れ行きは「今いち」らしい。けれど、毎月「しめきり」があって(「しめきり」でもかつて一騒動あった)、月末はこうやってほとんど二階の仕事場にこもったまま、一生懸命原稿を書いているのだ。普段は朝一緒にご飯を食べて僕らを送り出してくれるんだけど、たぶんゆうべは寝ていないんじゃないだろうか。

僕らも、仕事中のママがどんなに必死で怖いかよく知っているから、絶対に二階になんか行かない。

「おまえたちは、すごくしっかりしてるよ。地に足がついてる。ママがあんなに空想ばっかりしているから、子供がしっかりせざるを得ないんだろうなあ」

おじいちゃんは、僕らのことを同情半分、不満半分で見た。

きっと、おじいちゃんから見れば、僕らは空想好きには見えないのだろう。

妹が寄ってきて、僕の座っている椅子によじのぼろうとしているので、僕は膝の上に妹を乗っけてやる。

「よしよし、もうすぐおいしいシチューができるぞ」

おじいちゃんは味見をしながら一人で頷く。

「おまえたちのパパが死んだ時はどうなることかと思ったもんさ。おまえたちはまだ小さいし、ママは何週間も泣き暮らして、おまえたちにミルクすら上げられなかった。つらかったなあ、何もできなくて」

おじいちゃんはサラダの準備を始める。

温かい、おいしいものの湯気が少しずつ部屋の中に流れてくる。この瞬間、いつも僕は幸せな気持ちになる。おじいちゃんの広い背中がぴかぴか輝いて見えるんだ。

「それが今じゃ、どうだ。ママはすっかり逞(たくま)しくなって、バリバリ仕事しているし、おまえたちもいい子に育ってくれたし、わしもおまえたちと一緒に食事できるようになって嬉しいよ」

おじいちゃんはまた一人でクスクス笑った。

「そうだよなあ、考えてみりゃ、うちの家系はじいさんの頃から皆、極楽トンボだったからなあ。んん？」

おじいちゃんはニッコリ僕らを振り返る。

僕らは、テーブルで三人凍り付いていた。

ごくらくとんぼ。

僕らが三人とも、初めて聞く言葉。

ごくらくとんぼ。

完全な不意打ち。さっき、「てとろどときしん」で随分苦労したので、すっかり油断しきっていたのだ。まさか、今日、これ以上にインパクトのある言葉など出てこないだろうと。

ごくらくとんぼ。

なんてインパクトのある——なんて忘れられない——なんて——なんて。

どこかでひゅーんという音を聞いた。

遠いところで飛行機が飛んでいるような音だ。

とても重い、大きなもの。

その音はどんどん大きくなり、近づいてくる。何か巨大な金属音が、風を切ってこちらに近づいてくる。

窓ガラスがビリビリ言った。

おじいちゃんは、大声で歌を歌っているので気付かないらしいが、僕らはそれが何なのか薄々気付いていた。

どーん！

裏庭に何かが落ちた。僕らの家の裏庭は、ただの原っぱなのだが、そこに巨大な何かが落ちてきたのだ。

僕らは恐る恐る後ろを振り返る。

裏庭に面した窓の、白いレースのカーテン越しに、そいつが見えた。

分かってる。極彩色の、派手なぴかぴかした色をした、おっきなトンボの形をした飛行機だ。

そいつが地面に頭から突っ込んで、あちこちからしゅうしゅう煙を上げていた。折れた尾翼は、雨上がりの水溜まりみたいに、きらきら七色に光っている。

「あー」

妹が、窓に向かってちょこちょこ歩いていった。こいつはやっぱり光りモノが好きらしい。

その時、二階のドアが開く音がして、疲れた足取りで階段を降りてくるスリッパの音がした。

妹がパッと振り返り、「ママだ、ママだ」と歩き出す。

カーディガンを羽織ったママが現れる。

「はーい、おちびさん。元気だった？　お父さん、いつもありがと」

目の下にくまを作ったママが、足元にまとわりつく妹を抱き上げた。

やっぱりゆうべは寝ていなかったらしい。顔色は悪いし、髪はバサバサだし、明らかにとっても疲れている。

「どうだ、原稿は」

「駄目」

ママは妹を抱いたまま溜息をついてテーブルに着いた。

「あら？　誰か裏庭にいない？」

ママは眼鏡越しに目をしばしばさせた。ママはとても目が悪い。最近もっと度が進んだのに、眼鏡を作りに行く暇がないのだ。

「気のせいだよ、ママ」

兄貴がさりげなく言う。

ここで一緒に裏庭を見たりしちゃいけないってことはよく分かっている。テーブルを見たまま、何気なく言うことが大切なのだ。兄貴は成功した。ママはそれっきり裏庭には目をやらなかったのだから。

僕らは、さっきの羊の時に胡椒を使い切ってしまったのだ。

裏庭の「ごくらくとんぼ」は、食事が終わって、おじいちゃんが帰る前に、黒胡椒で代用して消すしかない。

「そうか。駄目ね、あたし。裏庭に光る変なモノが見えるなんて」

ママはがっくりとうなだれ、おじいちゃんが差し出すスープ皿を力なく受け取った。

「やっぱりアイデアが枯渇(こかつ)して、些(いささ)かノイローゼ気味になってるんだわ」

「そんなことないよ、ママ」

僕は愛情を込めてママを見る。

ママはそう言った僕に小さく微笑みかけると、テーブルの上に乗り出し、「ありがと」と僕らにキスをしてくれる。

「あんたたちが羨(うらや)ましいわ」

ママは戸棚からグラスを出した。

「少なくとも、目に見えないものを見えるように紙の上にひねくりだすような苦労は味わわなくていいんですものね」

ママはおじいちゃんのグラスにお酒を注ぎ、自分のグラスにも少しだけつぐ。

「そうでもないよ」

兄貴が小さく呟いたが、僕以外誰も気付かなかった。

僕も同感だ。目に見えないものがいきなり見えるようになるっていうのも、実は結構面倒なものなんだよ、ママ。

「さあ、食事の前にお祈りしよう」

おじいちゃんの合図で、僕らはお祈りをする。

今日も、僕の家では夕飯は七時に始まる。

隙間

The Crack

彼は幼い頃から隙間（すきま）を恐れていた。

いつからそうだったのかは分からないが、最初の記憶は、自分が裏庭の納屋（なや）の、ほんの少し開いている扉を離れたところからじっと見つめているところである。

彼は恐れている。納屋の暗がりがかいまみえる、その僅（わず）かな隙間が怖くてたまらず、その隙間から目が離せなくなっている。できればすぐにでも目を離してその場を立ち去りたいのだが、身体は動かない。目を逸らすこともできず、彼はじっと硬直したままその隙間を見つめている。

彼が小学校を出る頃には取り壊されてしまった納屋。とても古くて羽目板はあちこちボロボロになって腐りかけていたし、中にはもう使われることのない農具が雑然と埃（ほこり）をかぶっていた。かつては南京錠（ナンキン）を掛けてあった観音開きの扉も、もはやぴったりとは閉まらなくなってしまい、いつも五センチくらいの隙間が空いていた。

中は真っ暗で見えない。

母親の話によると、物心ついた頃から、納屋の前を通る度に彼はそうしていたらしい。

てっきり納屋が怖いのかと思い、彼がひどい悪戯をした時に懲罰として納屋に閉じ込めたことがあったが、嫌がったり怖がったりするでもなく、納屋の中ですうすう眠っていたので首をひねったという。

親は不思議がっていたものの、その一件で、彼自身は納得した。

自分が怖いのは、隙間なのであると。

閉まりきらないカーテン、換気のために僅かに開けたままの窓、蓋が持ち上がっている段ボール箱。

彼はその全てを恐れた。何が怖いのかは分からない。

それを見ていると、頭の中が白くなる。やがて耳の後ろが痛くなり、痺れるようなざわざわした感触が胃の中に込み上げてくるのだ。

その恐れに拍車を掛けたのは、近所のおばあさんに聞かされた民話であった。

夜の闇から家の中に侵入しようとする魔物が、戸を開けることを拒否する主人公に「ほんの少しだけでいいから」と頼み、主人公がためらいつつも優しい声に誑かされて戸を少し開けると、そこに指を掛けて一気に戸を開けて侵入してくる、という場面に震え上がった。こんな恐ろしい話は聞いたことがなかったし、彼は何よりもその話を恐ろしいと感じたのである。

以来、指一本分の隙間が恐ろしくてたまらない。

学校の教室の引き戸がほんの少し開いている。

一番後ろの席に座っている彼は、それが気になって仕方がない。授業中もちらちらと、その隙間を盗み見る。

そこに何もいないことは分かっている。今はどの教室も授業中で、廊下には人っ子一人いない。しかし、彼はそこに何かを感じる。その僅かな隙間を通り抜けてこちら側に侵入してこようとする何かを。

彼は何度もその隙間を見る。今度目にしたら、そこに掛かる白い指を見るような予感がする。その僅かな隙間にがっちりと指を入れて手を掛け、ガラリと大きな音を立てて何か恐ろしいものが教室に入ってくるところを想像する。それがいったい何なのかはちっとも想像できなかったのだが。

自分の恐れがどこから来るものなのか、彼は戸惑っていた。

人は何をもって恐怖を習得するのだろう？　蜘蛛（くも）や、尖（とが）ったものや、雷や犬、赤い色やピエロを恐れるのには、それぞれ理由があるはずだ。

ならば、隙間は？

何か直接の原因があるのかどうか考えてみても、母親から幼い頃の話を聞いても、その発端がどこにあるのかは分からなかった。

分からないなりに、隙間を避ける方法を考えた。自分の部屋のカーテンはピンで留める。もちろん、ドアはぴったりと閉める。それがかなわぬ場所であれば、ドアが目に入らない位置に座る。

彼は自然を好むようになった。植物に覆われたこの地の自然界には隙間はない。風景は連続しており、途切れることはない一枚の絵である。彼は時間があれば人工物のない野山を歩き回っていた。

切れ目が怖いのだろうか、と彼は考える。

続いているはずの世界。連続しているはずの時間。それが断裂していること、その空白が、世界の裂け目が恐ろしいのかもしれない。

そこは本当に裂けているのだろうか。その向こう側には何がいるのだろう。

ある午後の教室。

彼はまた、後ろのドアが少し開いていることに気付く。

なぜ彼らはあの隙間が平気なのだろう。彼はのんびりと授業を受けている他の生徒に苛立つ。教師の声が響き、彼は隙間に意識を集中させている。誰もあの隙間のことなど気にしていない。彼も必死に隙間のことを忘れようとするが、神経はあの僅かな空間に引き寄せられたままだ。

平気だ。みんな気にしていない。何を恐れることがあるのか。これまでだって、何かが入ってきたことはなかった。子供の頃に聞いた民話を、今更恐れる必要などない。

しかし、次の瞬間、彼は全身をぶるっと震わせた。

視線。

誰かが彼を見ている。彼はそのまま動けなくなった。

誰かが、あの隙間から彼を見ている。

そう確信した。じわじわと視線が彼を刺す。紛れもない、納屋を見つめていた時の恐怖が身体に蘇る。

そんなはずはない。これまでだってなんともなかった。今日に限って、何かが侵入してくるなんて、そんなはずは。

彼は勇気を振り絞り、そっと振り返り、ドアに目をやった。

指。

目を見開いた。心の隅でずっと予想していたものが、そこにある。かつて見た悪夢、どこかで聞いた話が目の前で再現されようとしている。

白い指がドアをつかみ、一気に押し広げる。彼はくぐもった悲鳴を飲み込み、思わず腰を浮かせた。

ガラリ、という戸の音に生徒たちが振り向いた。

そこに、細身で色白の少女が立っている。

教師が話すのをやめ、彼女を見咎めた。

「すみません、途中で事故があって、着くのが遅れました」

無表情なその少女は、淡々と申告すると、珍しいものを見るように教室の中をぐるりと見回した。

無表情な転校生は、無表情なまま彼らの生活に紛れ込んだ。

色白で髪が長く、無口な少女をいろいろ噂する者はいたが、彼女自身は全てを聞き流し、無視し、どこでも一人きりのように振舞っていたので、じきに噂する者も飽きて、やがて彼女は本当に一人になった。

彼女が彼の家の近所に住んでいると気付いたのは、週末にいつもの散歩をしていた時である。

見覚えのある、長い髪の少女が黙々と野原を歩いていた。いつも一人でいる少女だが、野原を歩く彼女は別の惑星から来た孤独な生き物に見える。

髪が風に吹かれて、遅い紅葉の中に刷毛（はけ）で刷（は）いたような線を描いた。

少女は、突然こちらを見た。足を止めてぼんやりと彼女を見ていた彼を、一目で遠くから射抜く。彼は思わず身動（みじろ）ぎをした。

少女は無言でこちらを睨（にら）みつけていた。その視線の強さに、彼はやはり、あの日廊下から扉の隙間を通して彼女が自分を見ていたのだということに気付く。

少女は枯葉を踏みながら彼に近づいてきた。

彼は一瞬逃げようとしたが、身体は地面に縫いつけられたカエルのようにぴくりとも動けなかった。

「あなた、あの納屋があった家の子供でしょう」

少女は例によって無表情なままそう切り出した。

「えっ」

彼は突然の話題に戸惑う。

「あたし、小さい頃、あの家の近くに住んでいたの。お父さんが死んで、暫くお母さんの実家に住んでいたけど、また戻ってきたの」

少女は、他人事のような口調で続け、探るような目で彼を見た。

「知らなかった」

彼はそう答えるしかなかった。

「あなたのこと、見たわ。よく、納屋の前に立ってた」

そう言われて、彼は滑稽なくらいに動揺した。

納屋の前に立っている自分。恐怖に駆られて隙間を見つめていた自分を、彼女に見られていたなんて。

少女は彼の表情をじっと観察しているように見えたが、やがてそっけなくぷいと横を向き、立ち去ってしまった。

「近所に住んでいた女の子？」

その話をすると、母親は怪訝そうな顔をした。

「お父さんが亡くなって、引っ越していったらしいよ」

彼はさりげない話題のつもりだったが、母親はハッとしたように顔色を変えた。

「まさか、あの」

言いかけて口を押さえる母親の顔を覗き込む。母親は暫く逡巡していたが、あきらめたように口を開いた。

「どうせ、誰かから聞くだろうから話してしまうけどね。ひどい事件だったのよ。文字通り、身体を引き裂かれて殺されていたの。それはもう、もの凄い力で手足が引きちぎられていたって。大騒ぎになったのよ。結局、犯人はつかまらなかった。最初に見つけたのは、父親を探しに来たお嬢さんだった」

彼はすうっと心臓が冷えるような心地になった。

無表情な少女の顔、全てを削ぎ落としたような目が浮かぶ。

「――うちの納屋の裏でね」

母親はそう言い添えた。

納屋の裏。今はもうない、あの恐ろしい隙間のあった納屋。

あなた、あの納屋があった家の子供でしょう。彼女の声が響く。

納屋の隙間。

あの向こうには、やはり何かが潜んでいたのだろうか。ひどく残忍で恐ろしいもののがあそこから出てきて、彼女の父親を引き裂いてしまったのか。

脳裏に、暗い隙間が蘇る。

全ては日常の名のもとに過ぎてゆく。

口には出さず、おのおの心の中に抑え込んだ恐怖と共に。

彼も暗い隙間を抑え込んだまま大人になった。あの少女は、その後も散歩で見かけたものの言葉を交わさぬまま卒業していった。

彼は都会に出て働く。

何者でもない、使用目的すらよく分からない都会という巨大な工作機械の歯車のひとつとして、無機質な景色の中に埋没し、同じ一日を繰り返す。歯車は思考しない。恐怖もしない。ある意味で、それは彼にとって平穏な日々だった。精神を鈍麻させることで、人は生き延びるのである。

しかし、隙間のほうは彼を逃さなかった。

きっかけは、ある雨の朝だった。

二週間後に結婚式を控え、彼はいつものように会社に向かっていた。濡(ぬ)れた舗道が人々の体温を奪う、冷たい初秋の朝である。

俯(うつむ)き加減に足早に人々が歩いていく。車のクラクションがビルの谷間を這い上がる。

彼はいつもの道を歩いていた。

信号を渡ろうとして、足がもつれた。見ると、靴紐(くつひも)が解(ほど)けている。

彼は歩道の隅に寄り、靴紐を結び直した。

ふと、奇妙な光を感じた。頭の中に、小さな裂け目が入ったような。

彼は、一瞬、別の世界にいた。子供の頃、裏庭にあった納屋の前にしゃがんで、靴紐を直していた。

乾いた午後の空気、太陽の匂いが鼻をかすめた。間違いない、郷里の秋だ。

この光景は。

思い出すのは久しぶりだった。観音開きになった扉の隙間が、目の前にある。

細い闇が、そこに。

短い時間のあと、周囲は阿鼻叫喚(あびきょうかん)に包まれていた。

彼が渡るはずだった信号で、二台のバスがぶつかり、煙と炎を上げている。割れたガラスから血塗(まみ)れの通勤客が必死に這い出そうとしていた。横断歩道に倒れている女もいる。

悲鳴と怒号。爆音と爆風が上がり、片方のバスが激しく燃え上がった。

遠くからけたたましいサイレンが近づいてきた。

群衆に揉(も)まれながら、彼は動けずその場に立っていた。

彼の目は、燃え上がるバスを見つめている。

炎に包まれているのに、バスの中は真っ暗だった。

バスの扉がかすかに開いていた――中は暗かった。懐かしい暗黒が、指一本の隙間に覗いている。そして、そこには指があった。もはや生命の兆候のない、ひとすじの血の流れた白い指が。

彼は、声にならない悲鳴を上げた。

やはり、それはいつも近くにあったのだ。

逃れられたと思ったのは幻想に過ぎない。これまで忘れていたのは迂闊(うかつ)だった。

なぜ忘れていられたのだろう。

再び、恐怖の日々が始まった。

エレベーターに挟まったシャツ。キャビネットのファイルのかすかな隙間。閉まりきらない引き出し。窓のブラインドから射し込む光。

全てが恐怖の種だった。都会とは、なんと隙間に満ちているものなのだろう。路地に、建物に、路肩の排水口に、工事中のマンホールの蓋。隙間に満ち満ちた世界は、常に不連続で一続きではないのだ。

オフィスの隅に積んである段ボールの隙間に、白い指を見て凍りついた彼を、同僚が笑った。段ボールからはみだした軍手をつまみあげる。幽霊の正体見たり枯れ尾花、というだろう？　いったい何が怖いというんだ。

そこにあることに気付いてしまうと、もうその存在が気に掛かって仕方がない。目はいつもそれを追い、絶え間なく彼の神経を苛み続ける。

短い新婚旅行の間も、彼は怯え続けた。ホテルのクローゼットの闇を。愛らしい花柄のカーテンの隙間を。車のトランクを。妻のワンピースのジッパーを。

これから始まる生活に、彼は既に喪失の予感を抱いていた。奴らはやってくる。確実に。そして、妻やこの新しい生活をある日突然むしりとっていくのだ。

新居のアパートも、彼の悩みの種だった。

板張りの食堂の、床の羽目板が一ヶ所、他のところよりも広く空いていたのだ。

ちょうど、指一本の幅に。

食事の度に、その隙間は彼の視界に入った。妻が流しに近いところに座ることを思うと、おのずと彼がその席に座らざるを得ないのである。

じわじわとその隙間が彼の中に焦燥(しょうそう)を積み上げる。

日々の食卓の足元にぱっくりと裂けている暗い裂け目。

吹きつける潮風が麦を枯らすように、新たな生活は綻(ほころ)びていった。

妻は、彼が何に怯えているのか理解できないようだった。彼の視線がいつも床を見ていることには気付いていたものの、彼が見ているものが何なのかには気付かなかった。彼女はそれを、自分を避けているものと勘違いしていたらしい。

妻の誤解は承知していたが、それでも彼は床の羽目板に対する恐怖を打ち明けることはできなかった。それを口にしたとたん、床が裂けて、テーブルも椅子も、彼の日常も、暗い奈落(ならく)に落ちていってしまうような気がしたのだ。

ある土曜日の朝、彼は一人食堂に立っていた。

薄暗い天気で、食堂は陰気な電灯に照らされて、もはや調理する者もないひんやりとした殺風景な場所と化していた。

妻はひと月前に家を出たきり、戻る気配はない。

今日こそは。

テーブルと椅子は壁に寄せてあった。

彼は隈(くま)を作った目を見開き、ずっと見つめてきたその箇所(かしょ)を見下ろしていた。床の上には、バケツ一杯の白いパテがある。

今日こそは、こいつを消してしまわなければ。こいつを封印してしまえば、明日からも生きていけるはずなのだ。

彼はその作業を始めた。

羽目板の上に、分厚くパテを塗っていく。一面に、真っ白に、隙間などないように、丁寧に塗っていく。

少しずつ心が晴れやかになっていった。真っ白な床は、彼の心を明るくする。

パテはたくさんあった。少しずつ買い集めていたのだ。

昼食の時間を過ぎ、夕暮れになっても、彼はまだ塗り続けていた。全く疲れを感じなかった。自分が正しいことをしているという実感がある。

塗りたいところはまだまだたくさんある。彼はバケツを手に、高揚した顔で立ち上がった。

窓の隙間、カーテンの隙間、クローゼットの隙間。

彼は目に付いたところに次々とパテを塗りつけていった。家じゅうに、白い線が縦横に走っているが、それでも彼は塗ることをやめない。

これまでにない爽快な気分になった。

もっと早くこうすべきだったのだ。隙間に怯えるのではなく、隙間を自分の手で塞いでいけばよかった。自分の人生は自分の手で切り拓くのだ。

バスルームの、割れたタイルにパテを詰めている時、電話が鳴った。

既に、家の中は白一色に覆われていた。

彼はいつになく明るい声で、意気揚々と電話に出た。世界中に祝福されているような心地を、誰彼なしに報告したい気分だ。

くぐもった雑音の長距離電話。

それは、郷里で彼の母親が亡くなったことを知らせる電話だった。

コートの衿を立て、ぴったりとボタンを掛けて、彼は郷里に戻った。

風景が流れていく。時が巻き戻されるようだった。

父はとうに亡く、母は古い家に一人で住んでいた。

逃げ切れなかったのだろうか？

彼は墓地で棺（ひつぎ）に土が掛かるのを見ながらぼんやりと考えていた。

ふと、自分の手を見ると、指の爪の間に、白いパテが入り込んでいる。

これもまた、裂け目が用意した陰謀なのか。やはり自分は一生あの隙間から逃れることはできないのだろうか。

うちの納屋の裏でね。

そう言った時と同じ表情のまま、母は眠っていた。

もはや納屋もなく、庭を手入れする人もいない。早晩この家も売り払うことになるだろう。

冷たい雨が降り、少年の頃週末に一人で散歩や山歩きを繰り返した野山は変わらぬ景色で彼を迎えた。三々五々弔問客が引き揚げていく中に、彼は、かつて一度だけ言葉を交わした少女の面影の残る女を発見する。

彼はそれを意外に思うのと同時に、こうなることを知っていたような気もするのだった。

女は、一度だけ言葉を交わした時と同じ顔をして立っていた。

彼は彼女に向かって歩いていく。あの時は、彼女が彼に向かって歩いてきたが、今はこうすべきだと分かっていた。

「久しぶりだね」

「ええ」

「いつからここに？」

「ずっとここに住んでるわ」

「それは知らなかった」

「あなたのママは、どうして亡くなったのかしら」

「心臓発作らしい。裏庭の勝手口で倒れたまま、意識がないところを発見された」

「裏庭」

彼女は意味ありげに、彼の家に目をやる。

彼もその場所を見る。二人で、今はもうない納屋を見る。

二人はどちらからともなく、ようやく長い冬の終盤に差し掛かった野山をのろのろと歩き回った。

「君のお父さんは結局」

「さあ。どうしてあんなことになったのか」

女は今も無表情だった。その感情のなさが懐かしく、羨ましかった。

彼女がどんな生活を送っているのか、一人なのか。そんなことを聞いてみるべきかと思ったが、口にすることはできなかった。

「あたし、知っているの」

突然、女が呟いた。

「何を」

「あなたが探していたものよ。それは、たぶんあたしも探していたものだから」

女は真顔だった。彼はどう返事をしたものか分からなかった。

「教えてくれ。なぜ君はそのことを知っているんだ」

「分からないわ。納屋を見たからでしょうね」

女のブーツの下で、枯れた草がみすぼらしい音を立てる。

「あなたが探していたものはこれでしょう」

女が呟いた。

「えっ」

顔を上げた彼の前に、女の顔がある。

そこには、見たことのないものがあった。

裂け目。

探していた暗黒。

女は笑っていた。初めて見る笑顔。白く小さな歯の間に、暗黒がある。

彼はじっとその隙間を見つめていた。どこか懐かしく、恐れ続けていた小さな闇を。

そしてそこから何かが出てきた。女の父親を殺したもの。彼が待っていたもの、ずっと夢見続けてきたもの。

「そうだ。これだ」

彼は小さく呟いた。

以来、杳として男の行方は知れない。

当籤者

The Lucky Winner

その何の変哲もない封筒を開けて中の便箋(びんせん)を開くと、印刷された文章が目に飛び込んできた。

おめでとうございます。あなたは今年度後期のロト7に当籤(とうせん)いたしました。

あなたの当籤期間は十一月一日から十四日まであることをここに通知いたします。

なお、詳しい規定については同封した小冊子をご参照ください。

男は大きく目を見開き、やがてかすかにわなないた。

まさか、そんな。この俺が当籤するなんて。一生関係ないと思っていたのに。

愕然(がくぜん)として便箋を繰り返し読み、封筒の差出人を見た。至って差しさわりのない、どこにでもありそうな健康食品のダイレクトメールを装っている。

噂には聞いていた。ロト7の当籤者には、それと分かるような形での通知は来ない。普通の私信を装ってくることもあるし、保険の運用報告の形に見せることもあると。だが、まさか本当にこんな形で、この俺に宛てててこんなものが送られてくるとは。

男は暫くその場所に凍りついたように立っていた。

誤送付ではないか。

突然、そんな考えが浮かび、もう一度宛名と住所を見るが、郵便番号も住所も完璧だし、彼の名前もフルネームでしっかり印刷されていた。よく見ると、中の便箋にも冒頭に彼の名前と住所が書かれており、同姓同名の誰かという可能性もない。やはりこれは彼宛てに送られてきたと考えるしかなさそうである。

当籤した。後期のロト7に。

じわじわとその実感が足元から這い上ってくるのと同時に、体温が少しずつ下がって、冷たいものが足元を潮のように洗うような錯覚を感じた。

馬鹿野郎、「おめでとうございます」だと？

印刷された文面に一瞬激しい憤りを感じたが、もはやこうなってしまったからにはどうしようもない。

ふと、カレンダーを思い浮かべ、ゾッとした。

十一月一日は今日だ。

雷に打たれたかのように、彼は背筋を伸ばした。

当籤期間はもう始まっている。この二週間を生き延びる方法を考えなくては。

彼はそっと周囲を見回した。

郵便物を見るのは彼の日課だし、女房は裏の納屋（なや）で鶏（にわとり）に餌（えさ）をやっている。この封筒を俺が受け取ったことを知る者は他にいない。まずは、これを受け取ったことを誰にも知られないことが肝心だ。いっそ破り捨ててやろうかとも思ったが、残骸（ざんがい）を誰かに見られたら元も子もない。捨てることで不利益を蒙（こうむ）るかもしれない。落ち着け。たったの二週間ではないか。ここは一つ冷静になれ。いつも通りの生活さえしていれば、誰も俺が当籤したなんて思うはずがない。

男は、その封筒をサッとセーターの内側に入れ、残りの郵便物を持って家の中に戻ろうとしたが、視界の隅で何か白いものがチラッと動いたような気がした。

ぎくっとして、思わず振り返る。

周囲には誰もいなかった。

いや、誰かが動いた。隣の家の誰かだろうか？

背中を冷たいものが走る。

見られた。

喉が鳴った。

封筒を隠すところを見られた。見た奴はなんと思っただろう？　この時期、自分に来た封筒を隠す奴のことを。

それは「当籤者」だと考えるだろうか？

男は内心舌打ちをした。

なんて馬鹿だったのだろう。今ここで封筒を隠す必要などなかったのだ。いつも通り送られてきた郵便物をそのまま持って家に入ればよかった。そして、家の中でゆっくり隠せばよかったのだ。こんな人目のあるところでコソコソ隠すなんて、俺が「当籤者」だと公表しているようなものではないか。

落ち着け。まだ見られたと決まったわけじゃない。俺は郵便を取りに来ただけ。いつも通り家に戻れ。

男は強いてのんびりした足取りでゆっくり玄関まで戻った。しかし、自分でも滑稽なほど、足はぎくしゃくして、表情が強張っている。

男は、必死に家の中の隠し場所を考えた。

手紙は手紙の中に。誰の言葉だっけ？　だが、女房だってその言葉を聞いたことがあるかもしれない。

引き出しの裏に貼（は）るか？　だが、引き出しの出し入れで引っ掛かって気付くだろう。

羽目板の後ろは？　安普請だから、いつ剝（は）がれてもおかしくない。

納屋の道具箱の中は？　真っ先に女房が思いつきそうな場所だ。

畑のどこかに埋めておくのはどうだ？　木のうろとか、柵の根元とか。雨に流されたり、犬や豚に掘り返されるかもしれない。あいつら、どこに運んでいくか見当もつかないからな。

チョッキに縫いこんでおくか？　あいつに触られたら一発でバレるに決まってる。

通い慣れた道が永遠にも感じられた。

やっと家の中に入り、窓の脇に張り付いて恐る恐る外を見る。

相変わらず近所には誰の姿もない。いつもの長閑（のどか）な農村風景である。

男はなんとなくホッとした。

気のせいに違いない。もしかしたら、単なる見間違いかも。

「何こそこそ外見てるんだい？」

不機嫌な声を背中に浴びせられ、男は思わずびくっとした。

仏頂面をした女房が、洗濯物を手に仁王立ちしてこちらを見ていたので、男はますます動揺したが、それを必死に抑えて、「天気さ」と答えた。

女房はフンと鼻を鳴らし、「そんな暇があるんだったら裏の柵を直しとくれ」と言い捨てて台所へと消えた。

「そっちこそ、ちゃんと鶏に餌をやったのか」

思わず声を荒らげていたが、内心は、動揺が声に出なくて助かったと考えていた。

やれやれ、あいつが家の中にいるとは思わなかった。

そう思って帽子を手に取った瞬間、ふと疑惑が込み上げてきた。

あいつ、俺が封筒を開けているところを見ていたのではないか？

台所を振り返る。

脳裏にまざまざと妻が窓から夫のことを見つめているところが浮かぶ。妻の目はぎらぎらしており、夫の手元を見逃すまいと大きく見開かれている。

その想像は、とても想像とは思えないほどリアルだった。

このところ、女房との折り合いは決してよくない。むしろ、最悪と言っていいほどだ。しかも、あいつの兄貴が事業で失敗したと言ってはいなかったか。ちょっとでもいい、子供の学費の分だけでもいいから援助してもらえないかと必死に頼まれたのを、つい最近、彼はけんもほろろに断ったばかりなのだ。

今のあいつが、俺が「当籤者」だと知ったりしたら。

思わず背筋が寒くなった。

近所ばかりではない、家の中でも気を付けないと。

となると、胸元に入っている手紙がずっしりと冷たく、重く感じられてきた。この手紙をどうすべきか。家の中に隠して、あいつに見つかったらどうする？　俺があいつだったら？　この機会に亭主を処分してしまおうと考えるのではないか？

のろのろと帽子をかぶり、上着を着て、彼は農作業に出かける準備を始めたものの、上の空だった。

ロト7の賞金は、誰かが受け取らない限り、次のロト7に繰り越されて積まれていく。確か、ここ二期は誰も受け取らなかったと記憶している。新聞もそう報道していた。何人かいる「当籤者」は、誰にもバレずに当籤期間をやり過ごした。つまり、今期の賞金は、結構な額になっているはずだ。

男は身震いした。

女房にとってはなおのこと、一石二鳥だ。嫌な亭主を処分し、大金まで手に入るのだから。俺があいつだったら、千載一遇のチャンスだと色めきたつのではないだろうか。

どうしても、妻が台所で小躍りしているところが浮かんできてしまう。庖丁を砥ぐか、あるいはベッドに仕掛けるか、それとも――

手押し車を押しながら、裏の畑へと向かう。

男は恨めしげに空を見上げた。

風もなく澄んだ空気で空は晴れ渡り、胸に入っているこんな手紙さえなければ気持ちのいい秋の一日となるはずだったのに。

「よう。元気そうだな」

いきなり後ろから声を掛けられ、男はまたしてもびくっとした。

振り向くと、逆光の中にでっぷりとした影がある。

「おどかすなよ」

脇道を、犬と一緒にやってきた老人の顔を見て顔をしかめる。

「すまんすまん。火を貸してくれんか」

老人は帽子を取って会釈すると、太い指に挟んだ煙草をゆっくりと持ち上げた。

「いいとも」

男は煙草に火を点けてやる。足元で、小さな犬がしきりにまとわりついていた。

老人は心地良さそうに一服吸うと、何気ない様子で話し掛けた。

「そういえば、そろそろロト7の季節だな？　確か、ここんとこ、誰も賞金をゲットしてなかったよなあ。いったい幾らになるんだろう」

「さあねえ。噂には聞いたことがあるが、こんな田舎じゃあ一生お目に掛かることはないだろうよ。あれは人口の多い都会でやるもんさ」

男は無関心を装い、肩をすくめてみせた。

「そうでもないぞ」

老人は、かすかに片目を吊り上げて男を見た。男は内心穏やかでない。

なぜ今日に限ってこんな話を俺に振ってくる？　日頃大したつきあいもないのに、どうしてわざわざ俺に話し掛けて足を止めさせたんだ？

老人は煙草を吸いながらのんびりと口を開いた。

「昔、俺の親友が当たったことがある。やっこさん、真っ青だったな。俺のところに相談に来たんだ。気の弱い男だったのさ。俺が奴を励まして、いつも通りにしてろとハッパを掛けてやらなかったら、きっとすぐに殺されちまってただろうよ」

「殺される」という言葉に反応しそうになるのを、男はじっと我慢していた。

　老人は長い煙を吐いた。

「だけど、昔はまだのんびりしてたなあ。賞金の額も微々たるものだったし、カネに血眼（ちまなこ）になるのはみっともないという風潮も残っていた。それが、今はどうだ？　みんな近くに当たりくじを引いた奴がいるんじゃないか、いてくれないかとそわそわしてる。全く、嘆かわしい世の中さ」

　ふと、老人の着ている白いシャツに目が留まった。

　白いシャツ。さっき、サッと物陰に隠れた影は、白い服を着ていなかったっけ？

　まさかこのじいさん、俺が封筒を開けるところを見ていたわけじゃあるまいな。

　男は疑惑の目で目の前の老人を見る。

「通例からいくと、もう当籤者には通知が行ってるはずだ。そいつはさぞかしびくびくしてることだろうな？　二週間、夜もロクに眠れまい」

　老人は楽しそうにそう続ける。

　男は、老人の表情から何かを読み取ろうと必死になるが、そのかすかに濁った目からは何も読み取れない。

　知っているのか？　わざとカマを掛けているのか。

男には分からなかったし、平静を装っているのが苦痛になり、「だろうな」とそっけなく相槌を打つと「じゃあ」と歩き出した。老人も、それ以上は何も言ってこない。しかし、農道を行く男のことをじっと観察しているようで、暫く落ち着かなかった。

見られている。今朝も見られていたのか？

男は徐々に足を速め、小高い丘に向かう。

誰もいない畑に来て、土を掘り起こしているうちにやっと落ち着いてきたが、今度はこんなところで一人作業をしていることがだんだん恐ろしくなってきた。

背中が気になる。

今にも、後ろから誰かが襲い掛かってくるのではないかと不安になるのだ。誰かが、俺のことを木陰から窺っているのではないか。背中を一突きして、快哉を叫ぶ機会を狙っているのではないか。

冷や汗が流れ出す。

どうすればいい。農作業中、こんな人気のない場所に一人でいるなんて、標的になりたがっているようなものだ。かといって、この時期、家に閉じこもっていたりしたら、それこそ自分が「当籤者」であると宣伝しているようなものだ。

手は土を掘っているが、気が付くと同じところばかり掘り返している。

不自然だ。遠くから見たら、なぜ移動しないのだと思うだろう。いつもと同じ作業をすればいいんだ。いつもと同じ。

男は、冷や汗を流しながらひたすら土を掘り返し続ける。

いっそ、二週間、どこかに雲隠れするというのは？　そう、都会に行って、どこかの安宿に潜り込んでいればいい。

思いは千々に乱れる。

だが、何と言って説明を？　この時期、二週間いなくなるなんてそれこそ周囲にバレバレだ。宿のほうだって、この時期何もせず泊まる客が「当籤者」だとすぐにピンと来るだろう。場末の宿の人間が、転がりこんできた「当籤者」を守るはずがない。ごろつきどもを雇うどころか、宿の主人が真っ先に俺を処分しようとするかもしれない。むしろ、地の利もなく、知り合いもいない都会はますます不用心に違いないのだ。

落ち着け。

男は必死に深呼吸をした。

よく考えろ。おまえが思っているほど事態は悪くない。

そう自分に言い聞かせる。

最悪の場合、女房とじいさんの二人共、俺が「当籤者」であることに感づいたとしても、警戒すべき相手は二人だけだ。奴らはそのことを他人には言うまい。確か、銃などの飛び道具は対象外だ。一人の人間が、必ず素手で「当籤者」を殺すのが決まりだ。でなければ、賞金は受け取れない。そうだったよな？

男は、封筒に入っていた小冊子を読みたくてたまらなかったが、誰かに見られたらと思うととても取り出すことはできなかった。

うん、確かに以前、共謀罪（きょうぼうざい）であるのが露見して、賞金がパーになった話を聞いたことがある。だったら、あの二人さえ身辺に近づけなければいい。実際、今は女房と寝室も別にしているのだし、そんなに難しいことではないだろう。これで女房がベッドに戻りたがったりしたら、それこそ奴が知っていることの証明になるだけだ。

そんなふうに考えているうちに、ようやく平静を取り戻してきた。

そもそも俺が勝手に疑心暗鬼になっているだけで、あの二人が知っているかどうかなんて分からない。実は二人共知らないかもしれないではないか。

大きく息を吸い込む。なんとなく、目の前が明るくなる。

だんだん気が晴れてきて、農作業にも普段のリズムが戻ってきた。

ならば、俺は安全だ。さっきじいさんはあんなことを言っていたけれど、いったい何年前の話だ？　実際のところ、こんな田舎で「当籤者」が出るとはみんな考えていない。俺さえあの手紙を受け取っていないふりをしていれば、あっというまに二週間など過ぎてしまうだろう。

夕暮れになる頃には、すっかりいつもの一日の終わりだった。

澄み切った秋の一日が、ゆったりと過ぎていく。

男は慣れた一日の疲れを肩に背負い、手押し車と共に家に引き揚げた。

やれやれ、疲れたな。

家の近くまでやってくると、女房が道端に立って何かを見ているのに気が付いた。

しかも、何やら騒がしい。

「何かあったのか」

男は女房に尋ねた。女房は険しい顔で、顎をしゃくる。

「あれを見なよ」

その視線の先に人だかりがあり、地面に血溜まりがあるのが見えた。

男はギョッとして女房の顔を見る。

「どうしたんだ」

「驚いたことに、こんなど田舎にロト7の当籤者がいたらしいんだよ。それに気付いた誰かが刺したのさ。初日にね」

「なんだって」

男は仰天して、棒立ちになった。

まさか。こんな偶然があるだろうか。こんな田舎に、二人も当籤者が出るなんてことが？

どんどん人が駆け寄ってくる。

しかし、あそこでは実際に血が流されているのだ。初日に早くもバレたのだ。そいつは、初日に刺されてしまったのだ。

頭は混乱している。

ふと、視界の隅に誰かが駆け寄ってきた。

さっきの老人だ。血相を変えている。

「危ない！」

老人が叫んだのと、男が本能的なものを感じて反射的に飛びのいたのとは同時だった。そして、男の首筋を何かがかすめ、鋭い痛みを感じたのも。

ガチンという鈍い音。何かがぶつかり、背後でどさりと重いものが倒れ、辺りは静かになった。

男はそろそろと目を開けた。首筋に手を当てると、かすかに出血している様子である。首の皮を何かで切られたらしい。

老人が、息を切らして男の前に立っていた。

顔は真っ青で、男の後ろにあるものを見つめている。

男は恐る恐る後ろを振り向いた。

女房が目を剝いて倒れていた。

首には、折れた鎌の刃先が突き刺さっている。

彼女の手には、鎌の柄と残りの鎌の刃が残っていた。

「まさか」

男は愕然とする。

「危ないところだった」

老人が、ぼそりと呟いた。

男は震える手で首を押さえながらよろりと立ち上がる。

この顚末に気付いた者は他にはいなかった。

相変わらず、目の前の人だかりは続いているが、やがて医者が現れた。

「あれはいったい」

男が尋ねると、老人は「ああ」と頷いた。

「妊婦が道端で産気づいたのさ。薬屋の娘だ」

「道理で、血があんなに」

「あんたの奥さんは、とっさにチャンスだと思ったんだろう。ロト7の当籤者だと言えば、必ずあんたが気を取られるだろうと」

老人は、無表情に、倒れている女に目をやった。

男はそちらを見る気にはなれなかった。彼女が自分の気を逸らし、鎌を振り上げる瞬間を想像するのは恐ろしかったからである。

「女房は——あなたは、ご存知だったんですね。ええと、その、俺が——当籤者だと」

口に出してしまうと、少し身体が軽くなったような気がした。

老人は、悲しそうな顔でのろのろと首を振った。

「あんたの奥さんが、誰かに打ち明けているのを偶然聞いた」

老人は、町外れの森に目をやった。

「偶然だったんだ——誰の声かよく分からなくて、突き止めるまで時間が掛かった」

女房が誰かに相談しているところが目に浮かんだ。ギラギラした、殺意に満ちたまなざしで。

「あんたに手紙を送ったのは、あんたの奥さんの兄さんだ。印刷を細工して。あんたの奥さんは、相当思いつめていた。どちらにせよ、あんたを殺すつもりだった。この時期まで待ったのは、あんたが『当籤者』だから殺した、と弁明するつもりだったのさ。実際に、当籤期間中に『当籤者』を殺すのは罪ではない。彼女がそう思い込んだとしても仕方ないと、彼女の兄さんが送った手紙を証拠にするつもりだったらしい」

殺したいから俺を「当籤者」にしたのか。

男は愕然とした。

「俺は、あんたに注意を喚起しようと思って話し掛けたんだが、あんたには伝わらなかったようだ」

老人は暗い声でうなだれた。

今朝、あんなふうに話し掛けてきたのはそういうわけだったのか。

「じゃあ、これは」

男は胸元から手紙を取り出した。

「にせものさ」

男は震える手で、封筒を裏返してみた。

よく見ると、消印は隣町の郵便局である。国家規模で行われているはずの事業が、隣町の、三人しかいない郵便局から——

「こんな田舎だからな。誰も本物の通知書など見たことがない」

老人は、悲しそうに首を振った。

「だから、俺の親友も分からなかったんだ」

「え?」

「ロト7の通知書が、俺たち友人たちが彼に送ったにせもので、ただの悪戯だったってことが」

男はぼんやりと老人の顔を見た。

老人は、じっと地面を見つめている。

「本当に気の弱い奴だった——気は弱いけど、優しくて、兄弟の面倒をよく見るいい奴だったのに。あいつは、ロト7当籤の通知書に震え上がった。誰かが殺しに来ると気が気じゃなかったんだ。ただの冗談のつもりだったんだ。だから、おまえが

『当籤者』だという噂が流れているとからかったんだ」

おぎゃあ、おぎゃあ、と盛大な泣き声が響いてきて、ワッと歓声が上がった。

ホッとしたような拍手が湧き起こり、みんなの笑い声が流れてくる。

老人は、赤ん坊の誕生に沸く人々のほうを無視して続けた。

男は、自分たちの周りだけ、ぽっかりと別の世界に沈んでいくような気がした。

「俺たちは、想像だにしなかったんだ。あいつが恐ろしさのあまり、首をくってしまうなんて。それほど怖がっていただなんて」

男は返す言葉もなく、老人の顔を見つめていた。

が、老人は無表情に男を振り返る。

「駐在を呼ぼう。不幸な事故があった。たまたま、鎌が石にぶつかって折れて刺ってしまった。誰も予期できなかった、不測の事態だ。そうだろ？」

男はぎこちなく頷くと、のろのろと歩き出そうとした。

老人が手を上げて制止する。

「その前に、火を貸してもらえるか？」

老人は、ポケットから煙草を取り出した。

男は、まだ震えの残る指で苦労して火を点ける。

老人は、男が手に持っていた手紙を取り上げると、それにも火を点けた。
みるみるうちに手紙は燃え上がる。
老人は、その明るい塊をそっと手から離した。
それはゆっくりと地面に落ちると、やがてただの一掴み(ひとつか)の灰になった。

かたつむり注意報

Beware of the Snails

誰かがドアを開け、低く何かを叫んだ。

すると、店の中にいた客たちは俄に顔を曇らせ、ヒソヒソと互いに言葉を交わし始めた。それまでの和やかな空気が一変して、不穏な雰囲気になる。

私は奥の席に座っていたので、話の内容がよく聞き取れなかった。もっとも、声が聞こえたとしてもあまり言葉が分からなかったので、同じ結果だったと思うのだが。

私がぼんやりワインを飲んでいると、店の主人が私のほうに寄ってきて、注意を促した。真顔で話し掛け、熱心に何かを薦めているようなのだが、どうにも意味がよく分からない。

「今夜はここを出るな、と言っているんですわ」

背後から控えめな声がした。

そちらを向くと、テーブル一つを挟んだ隣の席に一人で座っていた女が、本を読む手を休めて、私のほうを見つめていた。

私に主人の言葉を通訳してくれているのだ。私は彼女に声を掛けた。

「どうしたんです。何かあったんですか」

私は、更に熱心に何かをまくしたてる主人の顔と、彼女の顔とを交互に見た。

「かたつむり注意報が出た、と言ってます」

彼女は静かにそう言った。

私は失礼だとは思ったものの、まじまじと彼女の顔を見てしまい、それからテーブルの上の皿を見た。ちょうど、私が食べていたのはオイル焼にしたかたつむりだった。

とにかく主人を安心させるのが先だと思い、私は主人に向かって大きく頷いてみせた。どちらにしろ、一人で旅する身だし、これから外に出て飲もうなどとは思わない。こぢんまりとした心地好いホテルに隣接したこのレストランに満足していたし、すぐに部屋に引き揚げるつもりだった。

主人は安堵したようにようやくかすかな笑みを見せ、女にも会釈して去っていった。

相変わらず、店の中はざわざわしている。

「ご一緒しても構いませんか」

私は戸惑いながら女に声を掛けた。

「ええ、どうぞ」

女は微笑みながら隣の席に来るよう促した。私はグラスを持って静かに移動する。

「ええと、かたつむり注意報。そうおっしゃいましたね、私の耳が確かであれば」

「そう申し上げましたわ」

「私はこちらの言葉には堪能ではないのですが、それはつまり、あれですね」

私は目線で、私のいたテーブルに残された茶色い陶器の皿を見た。

「ええ、そうです。あのかたつむりです」

女は、どうせ信じてもらえないだろうが、という表情で頷く。

「この辺りじゃあ、いつも年に何回か注意報が出されるんですけど、本当にかたつむりが出るのは数年に一回です。それも、すぐに帰ってしまいますので、姿を見る人は少ないんです。今夜も、注意報だけなので、たぶん大丈夫だと思います」

私は彼女の顔をじっと見つめていた。

「注意報はどういう時に出されるんです？」

用心深く尋ねると、彼女は小さく肩をすくめた。

「これまでの経験上、いろいろなデータを加味してでしょうね。沼地の水位が変わるとか、カエルが逃げ出すとか、そんなことじゃないかと思います。町の長老が出しているんでしょう。詳しくは知りませんわ」

もう若くはないが、知的で気品のある、美しい顔だ。私がこの辺りの言葉を解さないのをいいことに、とんでもない冗談を言っているわけではないらしい。

地元の客たちは浮足立っていた。次々と勘定を済ませ、そそくさと帰っていく。それがハリケーンであれかたつむりであれ、事実みんながこれから現れる何かを警戒していることは間違いなかった。後に残されたのは、宿泊客のみである。

「こちらに来るのは初めてでいらっしゃいますの？」

彼女は半信半疑の私の気持ちを見透かしたかのように、話題を変えた。

「ええ、まあ」

私は言葉を濁したが、思い切って言った。別に隠すようなことでもあるまい。

「シン・レイという作家をご存知ですか？」

彼女は驚いたように頷き、手にしていた本の表紙を見せた。

『満ちてくる風景』

シン・レイ最後の作品だ。私は思わず歓声を上げる。

「これは奇遇だ。まさか彼の作品を、今ここで隣の席で読んでいるご婦人に会えるなんて」

私は興奮のあまり、彼女の分と一緒に酒を注文した。

「私はシン・レイの伝記を書いているんです。彼の足跡を追って、ここへ」

「道理で観光客には見えないと思っていたところですわ」

彼女は乾杯しながら大きく頷いていた。

この辺りは、沼と湖と森の続く古い土地である。芸術家たちが思索とインスピレーションを求めて滞在する場所として、知る人ぞ知る穴場だった。シン・レイも長い放浪の末、ここに辿り着いたらしい。

「あなたもシン・レイのファンでここへ？」

私が尋ねると、彼女は緩やかに首を振って否定した。

「いいえ。ここは私の生まれ故郷です。けれど、あまりよい思い出はありませんでした。大学に進む際に離れてしまい、あなたの国で長く働きました。ずっと戻らず、親の死に目にも会えず、今は家もありません。けれど、十数年ぶりに、ふと戻ってみたくなって」

「そうでしたか。だから、ホテルに泊まってらっしゃるんですね」

「ええ。注意報も久しぶり。懐かしいわ」

彼女は何気ない様子で窓を見た。

「彼らは、ひっそりと沼地からやってきます」

囁（ささや）くような低い声。

「いったい何頭いるのかは誰も知りません。でも、時々、沼地から森を通って、静かに町にやってくるんですわ。来るのはいつも夜です。彼らはとても静かです。みんなが感じるのは気配だけ。でも、不思議なんです。彼らがやってくると、必ず分かります。あの濃密な気配、夜をぎゅっと圧縮して、全く異質のものに変えてしまうあの気配。一度感じたら決して忘れられるものじゃありません」

彼女は、夢見るような目で呟いた。

その声と話の内容に魅入（みい）られるのと同時に、かすかな恐怖も感じた。

言葉の通じない異国のホテルで出会った一人のご婦人の話をどこまで信じたものだろうか。これが彼女の商売だとしたらどうだろう？　手のこんだ誘惑か？　それとも、かたつむり注意報を信じ込んでいるただの変人なのだとしたら？

しかし、彼女がシン・レイを読んでいたことは確かだった。私はこの町で自分の目的を明かしたこともないし、彼の作品や経歴はすっかり頭に入っているのでそれと匂わすようなものを手にしていたのでもない。わざわざ私を当て込んでシン・レイの本を用意していたことは有り得ないはずだ。

が、彼女はそんな私の逡巡すら見抜いたように、一瞬私のほうを見て冷笑を浮かべた。

「別に、彼らは何の悪さもしません。ただ、あまりにも巨大なために、全てのものを押し潰し、包み込んでしまうので、彼らの行く手を邪魔しないようにしているだけなんですわ。事実、家畜や子犬や小さな子供が、道いっぱいに広がった彼らに潰されてしまったことがあったので」

すぐに彼女の目は再び窓のほうに向いた。

窓の向こうは真っ暗だ。街灯がひとつ、ぽつんと浮かび上がっているだけ。

「みんな、家の中でじっとしています。けれど、誰も眠りません。子供たちだってずっと起きています。彼らが町を通り抜けるのを、感じ続けているんです。あの特別な空気を。そして、彼らが沼に帰っていったあと、子供たちは待ちかねたように外に出ます。まだ夜が明ける前に。でなければ、彼らが通った痕跡が消えてしまうから。彼らの通った跡は、まるで虹のようです。夜が明ける寸前に見るのがいちばん美しいんですよ。かすかに空が明るくなって、ほんの少し町が明るくなってくる瞬間に。石畳の上に、きらきらした、玉虫色の光の痕跡が残っています。虹で織り上げた布みたいに、彼らの通った跡が続いているんです。そして、彼らの通った後は雨の匂いがします——いえ、雨上がりの匂いです。夜じゅう降った雨がたった今上がったばかり。そんな匂いが夜明け前の町に立ち込めている。眠ってしまった子供たちは、どうして起こしてくれなかったのと泣きます。夜明け前の、かすかに甘く官能的な、彼らの雨の匂いを嗅ぐことができなかったことが悔しくて、ずっと後悔することになるんです。あの匂いを知らない子は、子供たちの中で仲間はずれにされます」

彼女の声は、かすかに熱を帯びた。

私の目に、その情景が浮かんだ。

夜明け前。森の向こうが明るくなり、濡れた石畳の溝が徐々に浮かび上がってくる。

眠い目をこすりこすり、寝巻き姿で町角に子供たちが立っている。

夜明けの太陽に向かうかのように、さまざまな光を放ち、粘液の帯が石畳の上に続いている。まるでおとぎばなしに出てくる、しろがねを敷き詰めた光の都への道のように。

「彼らはとても恥ずかしがりやです。人に見られるのを好みません。いつも現れても、せいぜい一頭か二頭。町までやってくるのも珍しくて、大抵は森の入口で引き返してしまうんです」

彼女は小さく溜息をついた。

「シン・レイの作品のどこに興味を覚えたんですか」

彼女は一口酒を飲み、冷静な口調に戻って私を見た。

私は目をぱちくりする。

夜明けの石畳のイメージに囚われていたせいで一瞬返事が遅れたが、少し考え込んだのちに答えた。

「そうですね、彼の作品の持つ寓意的イメージと、彼自身の孤独な放浪者のイメージに惹かれますね。旅する芸術家くらい我々男の心を揺さぶるものはありません。私もかつては旅する芸術家を目指していましたが、芸術の才能はないことに遅まきながら気付いて、今はシン・レイの足跡を追うことでその願望を満足させているんです」

自嘲気味に低く笑う。

「寓意的。寓意的とおっしゃいましたね、シン・レイの作品を。つまり、彼がありのままのものを描いたのではないと」

彼女は真顔で返す。

私は頷いた。

「ええ。彼の作品は、さながら抽象画のようだ。青い馬、三つ子の妖精、銅でできたキリン、葡萄酒の沼。普通には有り得ない景色や動物、イメージをシンボル化して書いているというのが定説だし、私もそう思います。彼が最期の時をどこで過ごしたか、『満ちてくる風景』はどこで書かれたのかが長い間論争になっていましたが、それも、彼が自分の作品内で写実的な描写をしなかったからで、ここだと確信するまで私もずいぶん長い間研究を重ねましたよ」

私が熱心にそう言うと、彼女は曖昧に口の中で何事か呟いた。

「そうでしょうか。私には、彼の作品は非常に写実的だと感じられますけれど」

「『満ちてくる風景』も？」

「ええ」

私たちは、無言で、ボトルに残った酒を注ぎあった。

「この上なくはっきりしています。町の人間が読めばすぐに分かりますわ」

彼女がそう言い添えたのを、不愉快に思わなかったと言えば嘘になる。暗に、私のようなよそ者には分からないと言われたように感じたのだ。

「私が知っている範囲では、一度だけ、彼らが大勢で現れたことがあるそうです」

彼女がぽつんと呟いた。

「あんなに大勢現れたのは初めてだったそうです――いえ、大昔にはあったのかもしれませんが、口伝えで残っているのはあの時だけ」

店に残っている客は、私たちともう一組だけだった。無表情で静かに何事かを話し合っている、一組の老夫婦のみ。

「彼らは、夜になってすぐにやってきたそうです。みんなで列を組むように、ぞろぞろと。それからすぐに始まりました。あの、伝説の大空襲。この町だけでなく、あちこちの大都市を、この大陸を焼き尽くしたあの大空襲ですわ」

彼女は一瞬黙り込み、唇を舐めてから続けた。

「それはそれは凄まじい空襲だったそうです。空が真っ赤になって、光の粒のように円盤が空じゅうに舞って」

再び、彼女の目に熱が宿った。

「想像できますか？　空襲に見舞われた町に、彼らはやってきたんです。彼らは知っていたのでしょう。破滅に近いことが起きることを。彼らは知らせに来たのかもしれません。そして、彼らは共に戦ったんです。静けさと闇を愛する彼らは、真っ赤に燃え上がる炎に照らし出されていたはずです。熱さに苦しみ、のたうちまわったはずです。彼らの巨大な殻が、あの渦巻きの輪郭が、炎にくっきり浮かび上がっていたことでしょう。彼らは大きなものになると、礼拝堂の鐘に触角が届いたといいます。さぞかし、胸の震える、空恐ろしい光景だったに違いありませんわ」

「そして、実際に、彼らは町を守りました。町の人々が米や麦を備蓄していた納屋や、礼拝堂や、小さな学校を、彼らは自分の身体ですっぽりと覆って、炎から守りました。分厚い湿った身体で、文字通り巻きついたりかぶさったりしてじっと耐えたのです。彼らの粘液の発する甘い匂いと、炎のはぜる匂いとで、町はむせかえるような息苦しさに包まれていたことでしょう。炎に耐え、じりじりと身体を焼かれるのに耐えるのは、想像もできない苦痛でしょう。たちまち夜空に体内の水分が蒸発し、陽炎のような湯気を上げて、町全体が赤くゆらゆら揺らめいていたに違いありません」

「やがて、殻が焼かれ、じわじわと焦げていきます。殻の内部で、体液が沸騰します。それでも、彼らは耐えます。声にならぬ声を上げ、触角をひきつらせ、身体をくねらせながら、ぴったりと学校の窓を、壁を、天井を抱き締めるのです。そして、ついに殻が爆発します。優美な曲線を描き、生まれたばかりの森の小鹿(こじか)のような柔らかな縞模様を描いていた美しい殻が熱のために砕け散って、焼け焦げた破片が火の粉と混ざり合って夜空に雨のように降り注ぐ。もはや、彼らが彼らであった痕跡はどこにもありません。殻を砕かれ、体液の水分を奪われ、そこには茶色い膜のような塊があるだけ。彼らの膜を通して、守り抜かれた小さな建物を透かして見ることができる。しかし、まだまだ炎は町を焼き続けるのです」

燃え上がる森を、夜空を舞う火の粉を見たような気がした。

ガラガラという無粋な音にハッと我に返る。

隣を見ると、彼女は無表情に水を飲んでいた。

「そろそろ看板のようですね。くれぐれも外にお出にならないように」

さっきまで見せていた熱っぽい目はどこへやら、彼女は他人行儀な目で私を見て、店の主人が窓の鎧戸(よろいど)を閉めているところに私の注意を促した。

「私は、この本を読んで、シン・レイがこの町に来たことをすぐに確信しましたわ」

彼女は、テーブルに置いた本をそっと手で撫でた。

「『満ちてくる風景』。タイトルだけでもじゅうぶんです」

「なぜです？」

私はそう聞かずにはいられなかった。

彼女は小さく笑った。

「彼らがやってくる時、そう感じるからです。シン・レイはぴったりの言葉を使いました。まさに、彼らは町に満ちてくるのです」

彼女の謎めいた笑みを見ながら、私は奇妙な満足感を覚えていた。

ペテン師でも高級娼婦でも頭のおかしな娘でも構わない。彼女の見せてくれたイメージはとても美しく、私の心を刺激した。今書いているシン・レイの伝記に、この夜のページを書き加えなければなるまい。

「あなたはどのくらいのあいだ、故郷に滞在なさっているんです？」

伝票にサインをしながら尋ねた。

「そうね。彼らがやってくるまでかしら」

彼女は首をかしげ、気のない返事をした。自分でも、よく分からないようだった。

「それは今夜？」

私が冗談めかして言うと、彼女はふと真顔になり、じっと私の顔を見た。

「帰ってくる気はなかったんです」

「ここに？」

「ええ。二度と戻らないつもりでした。うちは貧乏で、両親は諍(いさか)いが絶えず、子供の頃はいつもぶたれてばかりでおなかを空(す)かせていて、ちっともいいことはなかったから」

「でも、戻ってきた」

「ええ」

店の主人は、道路に面した正面玄関も、内側から板を張り、補強をしている。やってくるのは何だろう。大型のハリケーンか。

「夢を見たんです」

「どんな夢を？」

「夜中の虹です。ああ、この町の虹だなとすぐに分かりました。彼らがやってくるんだと思いました。で、目が覚めてすぐに思い出したんです。祖父もかつて同じような夢を見たことがあると」

「ほう。それは面白い」

「祖父もその時、仕事で各地を転々としていたのに、この夢を見て町に戻ったそうなんです。そして、その日の夜がそれだったと」

「それとは？」

彼女は奇妙な笑みを浮かべた。

「大空襲の夜ですよ——彼らが大挙して現れた、伝説の夜」

町は寝静まっていた。

部屋に戻った私はなかなか寝付くことができず、強い酒を飲みながら本を読んだり、彼女の話をメモしたりしていた。

カーテンをめくり、窓からそっと外を窺う。

鈍い街灯の光に照らし出された石畳はひっそりと闇に溶け、町には人っ子一人見当たらない。いくら夜とはいえ、異様な感じだ。向かいに見えていた酒場も皆早々に店じまいしているし、よく見るとどこも鎧戸が下ろされていた。

私はソファで本を読みながら、いつのまにかうつらうつらしていた。

奇妙な夢を見た。

シン・レイの夢だ。

写真でしか見たことのないシン・レイ。

黒い髪、黒い目。皮肉と虚無を湛えた横顔。複雑な出自を持ち、終生家族を持たず、めったに笑みを見せることなく旅を続けた男。

私はシン・レイになっていた。

シン・レイである私は、夜明けの町に立っていた。

地平線の森の向こうが明るく白み始めていて、石畳には七色に光る彼らの痕跡が残されていた。

私は、町の中に一人きりで立っていた。

歓喜と興奮に包まれて、震えながら空を見上げている。

そこにいるのは、巨大な彼らだった。

ぬめぬめと光る、静かに蠢く濡れた塔が目の前に聳えている。

まだ夜の明けぬ町の中で、それはかすかに甘くうっとりするような匂いを発していた。その圧倒的な存在感を誇る肉体の向こうに見える大きな影は、艶々とした小山のような殻である。迷いのない立派な渦巻きの気配が感じられる。

なんという美しい生き物だろう。静かで、生き生きしていて、荘厳で、哲学的ですらある。

彼らの偉大さに震え、おのれの卑小さに震えながら、私はそこに立ち尽くしていた。

足は動かない。

彼らはゆっくりとこちらに向かって進んでくる。彼らの身体は、柔軟だ。ゆるゆると進みつつ、道をすっぽりと覆っている。殻の下の平べったい部分が、町の一階の窓まで埋めてしまっているのだ。

私は道の真ん中に立って、彼らがこちらに向かってくるのを眺めていた。

彼らは落ち着き払い、慈愛に溢れていて、世界の叡智(えいち)を全てその中に隠し持っているように見えた。

ふるふると揺れている彼らの触角は、青や緑に輝いている。

私は自分に向かってくる彼らをうっとりと見上げていた。見えるのは一頭だけなのだが、確かに「彼ら」としか言いようのない存在だった。彼らは複数だ。一頭では有り得ない。彼らの存在は、そここに感じられた。

私はこれまでに体験したことのない官能の予感に身震いした。

早く。早く。

私は両手を広げ、その瞬間を待った。

彼らの甘い匂いが鼻腔をくすぐり、全身をねっとりと包む。

彼らの甘い壁が、きらきらと光る湿った存在がゆっくりと私を包む。少し冷たく、しかしほんのりと温かく、なめらかで吸い付くようなその感触が、私の身体をゆっくりと包み、内側に取り込み、やがてはじわじわと押し潰していく。

なんという快感だろう。

私は満面の笑みを浮かべていた。

こうしてシン・レイは彼らに包まれた。

これがシン・レイの最期だ。

彼らと一体になり、シン・レイはこの世からいなくなったのだ――

何かの気配に、私はハッと目を覚ました。

シン・レイの感触、シン・レイの歓喜がまだ身体の中に残っている。唇に、笑みの感覚も残っていた。

慌てて身体を起こし、ソファに座り直す。

グラスの氷がすっかり溶けてしまっていた。

しかし、何かがいる。何かが違う。

私は目をこすり、立ち上がった。

この奇妙な胸騒ぎ。空気がどことなく変わって感じられる。

まるで、雪の朝に目覚めたような。

私は思いついてカーテンをそっと開けてみた。

真っ暗な町。静寂の町。

何かが動いていた。

ハッとして目を凝らす。

向かいの家の屋根の向こうで、何かが動いている。闇の中に、丸いカーブが浮かび上がっている。屋根の向こうで、丸いものがゆっくりと移動していた。

遠いところでサイレンが鳴り始めた。

低く、しかし、耳障りなサイレンが長く尾を引いて夜の底に響き渡る。

丸いものは、一つではなかった。よく見ると、他にも幾つか動いている。

警報。

もはや、注意報ではなく、警報なのだ。

大挙してやってくる彼ら。町にやってくる彼ら。

私は廊下に飛び出し、階段を駆け下りた。

サイレンはまだ鳴り響いている。

不意に空が明るくなった。

一階は皆内側から固定されていて、外に出ることはできなかった。誰も起きてこない。

私は再び階段を駆け上り、部屋に戻ると窓を開けた。私の部屋の窓は鎧戸が下ろされていなかった。

地平線の森の向こうは、眩い光に覆われていた。この世のものでない光。

そして、その光に照らされた彼らが、ゆっくりと光に向かって進んでいた。ぬめぬめと光る、荘厳な触角を蠢かし、何頭も何頭も、路地に列をなして進んでいる。

満ちてくる。

私は、突然、シン・レイの言葉を理解した。

彼らはこの世に満ちてくる。

光はいよいよ眩さを増してきた。

あなたの善良なる教え子より

Your Virtuous Disciple

先生、お元気でいらっしゃいますか。
ご無沙汰しております。あなたの教え子であることを、誰よりも誇りとしている者でございます。

差出人の名前を見て驚く顔を想像しながら、この手紙をしたためています。もう何年も前に退職され、奥様の故郷に引っ越しして、悠々自適の生活を送っておられると伺っております。そちらは、気候温暖なよいところのようですね。一度行ってみたかったのですが、どうやらその機会は訪れそうにありません。

例年よりも、駆け足で冬が近づいているようです。
暖かい部屋なのに、じわじわと壁から冷気が伝わってきます。

静かな夜です。辺りは寝静まり、この世に私一人きりのようです。

こんなふうにペンの音だけを聞いていると、何十年も昔の子供に戻り、先生の声が頭の中に聞こえてきます。

田舎の純朴な子供だった私、早くに父親を亡くした私は、いっとき先生の言葉が全てであり、先生が父親代わりでした。人生の早くに先生に出会えた私は幸運だったと思います。先生の教えを人生の礎（いしずえ）として、こうして自分の信念に従ってやってこられたのですから。

父が死んだ時のことを最近よく思い出します。

あの時、私はもう一度生まれたのだと思うからです。

子供の頃の記憶とは、時になんと鮮明なのでしょう。何十年も経っているのに、まだくっきりとあの部屋の光景は目に焼きついています。

饐（す）えた酒の臭（にお）い、安タバコの鼻を突く臭い、乱雑な部屋、コーヒーテーブルの上の灰皿、酒壜（びん）、汚れたシャツ。ごみ溜めのような部屋でした。私はめったにあの部屋に足を踏み入れたことがありませんでした。父は子供が嫌いで、私が足を踏み入れようものなら、容赦なく殴り飛ばしましたから。けれど、狭い我が家では、父の寝室を通らなければバスルームに行くことができず、私はいつもびくびくしていました。

実際、幼い妹は、無邪気に駆け回っていて父に激しく殴られ、片方の耳が聞こえなくなりました。以来、彼女は決して父の目を見ず、父の近くに寄らなくなりました。いつもびくびくして、父の怒鳴り声を聞いただけで泣き出すほどです。バスルームに行くのが怖いので、おねしょが長いこと治りませんでした。

あの日のことは今もはっきりと覚えています。すりきれたシャツを着て、弛緩(しかん)したように口を開けたまま父の部屋に立っている幼い少年の姿が浮かぶのです。

私は、ベッドの傍(かたわ)らに呆然と立ち尽くしていました――変わり果てた父の姿、凄まじい形相のまま絶命して横たわっていた父のだらりと下がった手をじっと見ていました。

どこかで妹がわんわん泣いていました。その声は、ひどく遠くに聞こえ、私は彼女のそばに行こうとは思いませんでした。

母はまだ勤め先から戻ってきていませんでしたが、先生は、近所の人の噂を聞いてすぐに訪ねてきてくださいました。そして、棒立ちになっていた私の手を取って、ベッドのそばから連れ出してくださいましたね。

私の手を取ってくださった先生の大きな手の感触は、今も歳月を超えて鮮やかです。

あの瞬間は、私が先生を信じ、先生の教えを守っていこうと決心した瞬間でもありました。

父の死について、警察はロクに調べもしませんでした。結局、自分の吐瀉物が喉に詰まって窒息した、という結論になったようです。父は近所でも悪名高い暴力的な飲んだくれで、母や私を殴るのはもちろん、酒と喧嘩に明け暮れる鼻つまみ者でしたから、いなくなってせいせいする人こそいても、悼む人は誰もいなかったのですから。

母ですら、夫の死はショックだったでしょうが、安堵の色のほうが濃かったのです。帰ってきた時も、母の目には夫に殴られた紫色のあざがくっきりと刻み込まれていたのを覚えています。私はこれで母を殴る人間がいなくなったんだ、と思いました。

先生には感謝しています。私を落ち着かせ、母を慰め、妹を宥め、葬儀の手配までしてくださったことを、母はその後も繰り返しありがたかった、と折にふれ口にしていました。

あれから母と私と妹は、つましいながらも助け合って生きてきました。少なくとも暴力に怯(おび)えることなく、将来への生活設計を考えることができるようになったのです。あの日を二度目の誕生日と考えるゆえんです。

今、先生の手の感触をしみじみと思い出しています。

あの時、先生は、私の手を取り、ハッとした顔をなさいましたね。そして、まじまじと私の顔をご覧になり、それから何もなかったかのように歩き始めたのでした。

先生は気付いておられました——私が握り締めたままでいた、クッションの房に。

私が父の顔に押し付けたクッション、父の喉に吐瀉物が詰まる音を聞きながら必死に押さえ続けていたクッション、父が死んだ後、強張った手をなかなか開くことができず、とうとうむしり取ってしまったクッションの房。

先生は、私の表情、私の手の中のクッションの房、床に落ちている古ぼけたクッション、それらを見て一瞬にして全てを察したのでしょう。けれど、あの時、先生は日頃おっしゃっている「真実の善を為(な)して」くださったのです。

そうです。先生は、常日頃から、「見せ掛けの善ではなく、真の善を為せ」と教え諭してくださいました。「その時、その場所に求められる、真実の善を」。あの時、先生はそれを私に実践して見せてくださったのです。妻と子供の人生をめちゃめちゃにしてしまう暴君の死を、「善」だと示してくれたのです。

私は、自分で自分の人生を切り拓くことを覚えました。疚しいことはありません。自分の信じる、「善を為す」ことで道を拓くことを決心したのです。

先生は、M神父のことを覚えていらっしゃいますか。

もちろん、覚えていらっしゃることと思います。あの象徴的な死に方はもちろん、死後彼の毒牙に掛かった子供たちが大勢いたことが明るみに出て、大きなスキャンダルになりましたからね。

みんなの信望を集め、大人たちが全面的に信頼していた聖職者にいかがわしい目に遭わされた子供たちのショックを思うと慄然とします。しかも、彼は子供たちに口止めをし、逆らえば天罰が下ると説明していたといいます。これが罪でなくて何なのでしょうか。私は幸いそんな目には遭いませんでしたし、最初友人が言葉少なに打ち明けたことも信じられませんでした。私自身、M神父のゆったりとした知的な物腰を信じていたのです。

けれど、私は見たのです——友人が実際、あの悪魔に引きずり込まれるところを。誰かが告発しても信じたでしょうか。子供たちの証言を、悪魔に丸め込まれている大人たちがまともに聞いたでしょうか。告発する子供たちはどんなに傷つくことでしょうか。

私は十字を切り、黄昏（たそがれ）の迫る礼拝堂に忍び込みました。

彼が子供たちを組み敷くのに気に入っていた場所は、こともあろうに祭壇の陰でした。

そして私は、そこが絶好の位置だと気付いていました——正面に聳（そび）える巨大な十字架が倒れた時に、直撃するであろう位置だと。

私は少しずつ固定された十字架を留めている金具を緩めていきました。十字架の上の、ブロンズの主の頭にかぶせられた茨（いばら）の冠が、鋭く尖（とが）った釘（くぎ）のようになっていることも確認しました。

うまくいくかどうかはそれこそ神のみぞ知る、でした。けれど、私は信じていました。真実の善を為すからには、きっと成功させてくれるだろうと。

ええ、私は神に感謝します――あの時、M神父が祭壇の陰に引きずり込んだのは、まだたった五歳の小さな女の子でした。その小さな女の子に不埒な行為を始めようとした瞬間、まさに彼に天罰が下ったのです。十字架が倒れかかって、主の茨の冠が首に突き刺さる。あの神父には勿体無いような立派な死に方ではありませんか。泣き叫ぶ少女の声で、彼女を探しに来た人々は、神父の生前の罪を初めて知ったのです。遅すぎました。それまでには、多くの犠牲がありました。願わくば、犠牲となった子供たちが立ち直っていることを祈ります。

あの花火大会の時もそうです。

覚えてらっしゃいますか。

T家の三兄弟、揃って傲慢で凶暴だった三兄弟。確かにT家は資産家でしたし、地元の有力者ではありましたが、あそこまで品性が下劣な一家は見たことがありませんでした。

特に息子たちの悪行は、長ずるにつれてエスカレートしていきました。子供の頃から弱い者いじめを無上の娯楽とし、高校生になってからは三人で共謀して盗み、殴り、若い娘に暴行を加えては泣き寝入りをさせていました。父親は、あらゆる手を使って息子たちの悪行を揉み消し、無かったことにしようとしたばかりか、息子たちに自分の跡を継がせようとしていたのです。

妹も泣き寝入りの一人でした。

彼女はさんざん彼らの慰み者にされた上に、ひどい噂を町中にばらまかれ、あまりのショックに首を吊ってしまったのです。

母の嘆きは、見ていられませんでした。

しかも、妹にかぶせられた汚名はひどいもので、それに対する中傷も深く母を傷つけ、長く苦しめることになったのです。私たちが反論しようとしても、多勢に無勢で、妹の名誉は回復されることはありませんでした。

権力と金は時に残酷なものです。全てをねじ伏せ、ひれ伏せさせてしまいます。

しかし、それでよいのでしょうか。陰で多くの人が泣いているのを、見て見ぬふりをしていることが善なのでしょうか。

私には――先生の薫陶（くんとう）を受けた私には、見過ごすことはできませんでした。

花火大会は、チャンスでした。

三兄弟は川の浅瀬を渡ったところの林の中を、娘たちに暴行する拠点にしていました。あの日も獲物を探していた彼らは、必ず浅瀬を渡るはずでした。

川原では、打ち上げの準備が進んでいました。

花火の打ち上げは年々複雑になり、発火装置を動かすための発電機やケーブルが河原に溢れていました。他にも、アンプやスピーカー、照明などいろいろな機材が置かれていたものです。

ええ、方法は至って単純なものです。

あの愚かな三兄弟が浅瀬を渡る時に、剝がれて中の銅線が露出したケーブルが、浅瀬にいつのまにか落ち込んでいて、漏電していただけなのですから。ただ、通常のものよりも大きな電圧の掛かった、強力な電流の流れているケーブルが。

人間の身体は電気を通し易い、というのは理科の教科書で知っていましたが、それを目の当たりにするのは初めてでした。

三人は、オルゴールの人形みたいに、両手を振り回して踊っていました。奇妙なダンスを数秒続け、やがてしゅうしゅうと煙を出して、浅瀬の上に折り重なって倒れました。

けれど、夜の闇の川で倒れた三人が発見されるのはずっとずっと後のこと、花火大会が終わって機材を撤収する時に、ようやく誰かが川に人が倒れていると気付いて騒ぎ出してからです。

私は、川岸で、愚かな三兄弟の身体を打ち上げられた花火が照らすのをじっと眺めていました。

不幸な事故で命を落とした、これからは誰も傷つけることもない、三兄弟の遺体を。

あれは心安らぐ眺めでした。もう彼らのせいで娘たちが泣くこともなく、因縁をつけられて金やモノを巻き上げられることもない。私は充足感に包まれて、花火を見上げていたことを覚えています。

さすがに三人の息子をいっぺんに失い、T家の両親は老け込んでしまい、町を支配する意欲もなくしてしまったようでした。あんな息子でも親は可愛いのだな、とやつれた二人を見た時は気の毒に思いましたが、それでもあの三人がこれから町に与えていくであろう苦痛と損失を考えれば、同情ばかりしているわけにはいきません。全てを丸く収めることなど不可能です。何かを得れば、何かを失う。こんな痛みも、善を為すためには乗り越えなければならないのだ、と心を鬼にしました。

成人し、私は町を離れました。

働きながら大学を卒業した年に、母がひっそりと亡くなりました。私が就職したのを見届けて安心したのだと思います。できれば、私の結婚式を見せたかったのですが、とりあえず安心して逝ったことに安堵しています。

町を離れてからも、私の模索は続きました。

誠実でありたい、そして善を為したい。先生の教えはずっと私の中に生き続けています。それが私の生きる力となってきたのです。

もちろん、きちんと対象は吟味しなければなりませんし、先生の教えを実行し続けるためには、私がつかまってしまってもいけません。誰が見ても納得するような対象を選ぶのはなかなか難しいことですが、私はより用心深く、より冷静に、より思慮深くなりましたので、失敗したことはありませんでした。

けれど、残念なことに、思わぬところから私はこのようなところに閉じ込められる羽目に陥りました。

先生も新聞記事はご覧になっていることと思います——妻が、私を告発したのです。妻には日頃から私の考えを説明し、理解してもらっていたと信じていただけに残念でなりません。

確かに、人を殺めるのは悪いことです。しかし、手を汚さずに平和は訪れはしません。私は感謝されているのに、犯罪者です。人々の平和を取り戻す手伝いをしているのに、収監されています。真の善を為すというのは実に難しく、実に矛盾に満ちています。

でも、後悔はしていません。私は先生の教え子なのですから。

あの青いクッションの房。

先生は私の手からあの房を取って、途中のどぶに流しておしまいになりました。嬉しかった。ありがたかった。あれは罪だったのでしょうか。いえ、そんなはずはありません。あれはあの時、あの場所での善だったのです。

違いますか？

月がさえざえとしています。本当に、今夜は静かです。

独房にいる私には、自分のペンの音しか聞こえません。

刑の執行は、どうやら数日以内に近づいているらしく、夜遅くまで起きていてももう誰も咎(とが)めたり罰したりしません。

死ぬことは怖くないのですが、もっと自分にできたことがあったはずだと思うと口惜しくなります。

ひょっとして、先生は、私が命乞(ご)いのためにこの手紙を書いたと思っていらっしゃるのではないでしょうか。だとしたら、それは間違いだと申し上げます。

これは、先生への感謝の手紙です。私の生を作ってくれた先生に、今一度お礼を申し上げ、感謝の気持ちで旅立つことを伝えたかったのです。

ありがとうございました、先生。

私の充実した人生は、先生を信じることから始まったのです。

ですが、ささやかな人生の証(あかし)を、先生にだけ残しておきたいという欲望があることは事実です。

私が今回断罪されているのは、あの、どんな極悪非道な犯罪者も金さえ積めば無罪にしてしまうという、悪徳弁護士の殺害事件ですが、これは私の為した善のごく一部に過ぎません。

先生にだけは、私の努力を認めていただきたいと思います。

国道125号線を北へ向かうと、Y渓谷に出ます。殺風景で、何もない岩山が続く、誰もが通過するだけのだだっぴろいところです。

Y渓谷をさかのぼり、「老人の花園」と呼ばれる灌木(かんぼく)の続く窪地(くぼち)を抜け、「神の鼻」と名づけられた奇妙な形をした岩を越えると、左手にフタコブラクダのコブの形をした小山が見えてきます。

その二つのコブの間に先住民族が作ったのか、元々自然の地形を利用したのか、分かりにくいのですが、深い洞穴(ほらあな)があります。一見、洞穴があるとは思えないような場所ですけれど、注意深く探せば必ず見つかるはずです。

その中に、私の為した善があります。

もう大半が骨になってしまったと思いますが、恐らく二十五体くらいはあると思います。

お尋ね者や国内に潜伏していたテロリストなど、皆札付きの人間ばかりです。遺留品もそのままにしています。知っている人が見れば、身元は知れるでしょう。

兇器は、「神の鼻」の根元にまとめて埋めてあります。ナイフや銃ですが、絞殺したものは、遺体の首にそのまま兇器が巻いてありますのでそちらをご確認ください。

あそこは私の安息の場所でした。

時折あの場所を訪ねてゆき、「神の鼻」から月を見上げて一人で時間を過ごす時、ティーンエイジャーだったあの頃、川岸から花火を見上げていたあの充足した時間を思い出すのです。

先生も、是非あの場所に立ってみてください。私の感じていたことが分かるはずです。

あの場所で見上げていた月を、今独房で見上げているのは不思議な心地です。

妻はよく会いに来てくれます。何より、今回の事件でいちばん傷ついているのは彼女で、私はちっとも変わらないのですが、彼女は私のしたことにひどく心を痛め、げっそりとやつれてしまいました。彼女の善は、私の善とは違います。彼女はとても善良ですが、それが見せかけの善良だと気付いていないのです。けれど、気付かないのは彼女の罪ではありません。それだけは申し訳なく思っています。

どうしてあんなことを。あなたみたいな真面目（まじめ）で誠実な人が、人を殺すなんて。

彼女は本当に不思議そうにいつもそう尋ねます。

私はもう説明するのをあきらめました。真面目で誠実だからこそ、為さねばならないのだ。そう繰り返しても、彼女には理解できないらしいのです。

私は誰にも青いクッションの房の話をしたことはありません。話しても分かってもらえないでしょうし、私の胸の内にしまっておきたいからです。

ひょっとして、先生は後悔なさっておいででしょうか？

あの日、私の手からクッションの房を取り上げたことを間違いだったとお考えになるでしょうか？

では、どうなのでしょう、あの時先生が私を告発していたら、私はどんな人生を送っていたのでしょうか？

きっと情状酌量はあったでしょう、当時の家庭環境を考えれば。

けれど、私は父殺しの名を背負い、先生の告発に他人への不信感を植え込まれ、誰も信じられず、母は私への負い目と罪悪感に苦しんで親子としての信頼関係も揺らぎ、私はずっと不幸な人生を送ったことでしょう。

自分のことだけ考え、金儲（もう）けだけに汲々（きゅうきゅう）とし、陰気でぎすぎすした、人を信じることなどない、法には触れないものの——ただ単に法に触れないというだけの、惨(みじ)めな人生を送ったに違いありません。

それに比べれば、人を信じ、自分の信ずべき道を辿った私は決して惨めでも不幸でもないのです。このことは、いったいどう考えればよいのでしょう。

先生、私は不幸なのでしょうか。分かりません。少なくとも、私自身に聞いてみたところでは、不幸ではないようです。人生とは、実に奇妙なものだと思います。

さて、ここまで長々と手紙を読んできてくださった先生。

おつきあいいただき、感謝します。

実は、ここからが本題なのです。

私は先生の教えを守ってきて、幸福な、充実した人生を送ることができました。ですから、今一度、それを先生にお返ししたい。先生にこそ、今また「真実の善を為して」いただきたいのです。

噂を聞きました。

長いつきあいの、信頼できる筋からの噂です。

先生の奥様は非常に状態が悪いと。

絶え間なく徘徊し、悪口雑言を撒き散らし、先生に殴りかかり、先生は心の休まる間もなくご苦労なさっていると。奥様の拳が目に当たり、片方の目を失明してしまったと。

しかも、実は奥様の郷里では奥様のご母堂がまだご存命で、植物状態のまま伏せっておられ、その介護も先生がしておられると。

先生。

私は、私のために自分の手を汚してくださった先生に深く感謝しています。

ですから、私も最後に先生にお返ししたいと思います。

信頼できる友人が、この手紙が届いた頃から一週間後に、先生に薬を送ってくれることになっています。全く何の痕跡も残らず、苦しまず、自然死にしか見えない薬を。

差出人名はありません。先生宛てに、粉末の薬が届くだけです。分量については、一緒に目安が書かれているはずですので、参考にしていただければと思います。

これは罪でしょうか。
それとも、時と場所による真実の善なのでしょうか。
それを決めるのは誰なのでしょうか。
私は先生を信じています。先生の判断する、真の善こそが善であると。

最後までお読みいただき、ありがとうございました。
恐らく、これが私が先生に出す、最初で最後の手紙になることでしょう。
ごきげんよう。さようなら。どうぞ、お元気で。

あなたの善良なる教え子より　感謝を込めて

エンドマークまでご一緒に

It's Hard Being a Musical Star

明るい春の朝、本編の主人公であるフレッド君は目を覚ました。

朝が来たことは、いやでも分かる。カーテンがサッと開いて、オーケストラの大音響が流れてきたからだ。

近所の人が驚くようなフルオーケストラだが、しかたがない。これはハッピーな話だし、ハッピーな話は華々しい音楽で景気よく幕を開けるものと決まっている。しかし、寝覚めの頭にピッコロの甲高(かんだか)い音はつらい。しかも、まだ窓が開かないから、フレッド君は起き上がるわけにはいかない。彼は目を閉じたまま、じっと待つ。

どうして序曲というのは、えてしてこうも長いのだろうか。『ウエスト・サイド物語』なんか、故障したＴＶみたいにずっと同じ絵を見たままえんえん序曲の演奏が終わるのを待たなければならない。それに比べれば、彼はまだいいほうである。本編の場合、そんなに序曲は長くない。なにしろ、短編なので、早く話を進めなければならないからだ。

さあ、序曲が終わって窓が勢いよく開いた。フレッド君はそのタイミングを見計らい、縞のパジャマを着た両腕を大きく伸ばし、窓に向かってニッコリ笑う。本当はまだ寝ていたいところだけど、もうこの話は始まっているので愛想を振りまかなければならないのだ。

しかも、彼は起き抜けに最初のナンバーを歌わなければならない。目を覚ましたばかりで歌を歌うのは大変なんだが、フレッド君はちゃんと寝床の中で準備をしていた。さあ、ベッドから降りて、オープニング・ナンバーだ。

「なぜなんだろう　どうしてなんだろう　いつもと同じ太陽なのに　今日はなんだかいつもと違う　なぜなんだろう　どうしてなんだろう　いつもと同じ朝なのに今日はなんだかいつもと違う　不思議な胸騒ぎ　甘い予感　陽射しにわくわくする柔らかな風にわくわくする　ああどうしてなんだろう」

さすが、フレッド君は上手だ。主人公になるだけのことはある。甘い声で朝一番、朗々と歌い上げ、顔を洗い歯を磨き、トイレに行っている間もトーストを焼いている間もちゃんと歌い続ける。

さあ、間奏の間にカバンを持って、帽子をかぶり、アパートの階段を降りなければならない。二番が始まる前に、ちゃんとバス停まで辿り着けるだろうか？

——よし、間に合った。いつもの店で新聞まで買っている。行列の後ろについて、二番だ。

「なぜなんだろう　どうしてなんだろう　いつもと同じ町なのに　今日はなんだかいつもと違う　なぜなんだろう　どうしてなんだろう　いつもと同じバスなのに今日はなんだかいつもと違う　不思議な胸騒ぎ　甘い予感　クラクションにわくわくする　自転車のベルでわくわくする　ああどうしてなんだろう」

フレッド君が歌う間、周囲の客は知らんぷりをしている。もちろん、彼らは本編の趣旨をわきまえているのだ。バスに乗り込み、吊り革につかまって歌っていても、みんな礼儀正しく自分の位置に立っている。実際のところ、バスの中で大声で歌っている人がいたら、よほど上手な人でない限り周りの乗客は逃げると思うけれど、そこはそれ、これはミュージカルなので黙って彼の歌を聞いているのである。

バスが町中に着き、ぞろぞろと乗客が吐き出される。

そんな中でも、フレッド君は軽い足取りで町を歩いていく。この、軽い足取りというのは結構難しい。筋力もいるし、持久力もいる。だけど、フレッド君はまだ若いし、ダンスの経験も長いから、こんな歩き方だってへいちゃらだ。子供の頃から、『雨に唄えば』の真似をして、水溜まりを踏んで歩いていたからね。

さあ、目指すビルに着いた。ここで、フレッド君は自分の職業の説明をしなければならない。それも、やっぱり歌でなくちゃならない。なぜかと言われても困る。なにしろ、本編はミュージカルなのだ。ミュージカルにおいて、自己紹介は歌と決まっている。

彼は勢いよくドアを開け、受付の女の子に機嫌よく挨拶しながら歌いだす。

「僕は弁護士　新米弁護士　まだまだヒヨッコ　いちばんの下っぱ」

エレベーターのボタンを押し、中に滑り込む。もちろん、中でも歌う。伴奏はエレベーターの中の放送を通じて続いているしね。コール・ポーター風の、アップテンポのご機嫌なナンバーだ。

「僕は弁護士　新米弁護士　まだまだヒヨッコ　いちばんの下っぱ」

オフィス階に着き、元気よくオフィスに乗り込み、先輩弁護士たちに挨拶し、次々書類を押し付けられる。しかし、フレッド君は笑みを浮かべて歌い続ける。

「僕は弁護士　夢をかなえた　子供の頃から夢見てた　熱血弁護士　正義の味方　息詰まる法廷　土壇場の大逆転！」

そこに、先輩たちがバックコーラスで入る。

（ケチな依頼人　厄介な依頼人　嘘つく依頼人　これが現実さ）

机の上で書類を揃えながらで、このトントンという音がフレッド君の歌の絶妙な合いの手になる。だが、フレッド君は、いつも四人目のビルがずれるのが気になる。歌はなかなか揃ってるんだけど。

けれど、ずれた歌を聞いてると次のコーラスに入りそこなうので、フレッド君はサッと机に飛び乗る。後でごしごし靴の跡を消さなきゃいけないし、子供の頃は机に乗っちゃいけないとおばあちゃんから固く言われていたので、本当はいつもちょっと胸が痛む。けれど、これはミュージカルだからしょうがない。

「僕は弁護士　もうすぐ夢がかなう　世間を揺るがす大事件　弁護するのは誰？ああ辣腕弁護士フレッド！　カメラのフラッシュが映し出すのは誰？　ああ今度もまたフレッド！」

（誹謗中傷　悪口雑言　いつも悪者　これが現実さ）

「シャンパンにペントハウス　葉巻にリムジン　もうすぐ夢がかなう　僕は弁護士！」

（ケチな依頼人　厄介な依頼人　嘘つく依頼人　これが現実さ）

机に乗って歌っているフレッド君の脇で、先輩たちが他の机を移動させ、スペースを空けている。これから群舞があるのだ。仕事そっちのけで、大変である。だけど、そういう設定なので机を置いたままでは踊れない。

先輩たちはぜいぜい言いながら机を寄せ、間奏に合わせて踊り出す。足が上がらないのはご愛嬌。世の中の人が、みんな踊りが上手とは限らないのだからいたしかたない。

みんなで繰り返し歌う。電話が鳴ってるけど、踊っている最中なので誰も取れない。気にはしているようだが、まだ演奏は続いている。

急に、メロディーが短調になる。ティンパニのドロドロいう音、コントラバスの不穏な低音。バタン！　と大きな音を立てて大きな影が入ってきた。

ボスの登場だ。ウォルター・マッソーと片岡千恵蔵を足して二で割って膨らませて凶悪にした感じ。明らかに悪役だね。

ボスはイライラしている。仕事は山積みで、パートナーたちには馬車馬のごとく働いてもらいたいのに、みんなが机をどかして踊っているからだ。

悪態をついてムチを振るいたいところだが、そうはいかない。これはミュージカルなので、罵倒も歌でしなければならない。ボスは叫ぶ。

「働け！　生産活動は始まっている　働け！　金の匂いを探せ　働け！　トラブルの匂いを探せ」

のしのしと歩くボスに気がねして、みんなは書類を拾ったり、机を動かしたりする。なにしろボスは巨漢なので、あちこちぶつかって機嫌が悪くなる。

「俺たちは天使じゃない　正義の味方は映画の中だけ　正義じゃおまんまは食べられない　貧乏人の相談に乗ってガソリンが買えるか？　俺たちは天使じゃない」

ボスは青筋を立てている。本当に怒っているのだ。しかも、このあとフレッド君と一緒に机に乗って踊らなければならないし。

「俺たちは天使じゃない　熱血弁護士はうっとうしいだけ　離婚に買収　詐欺に名誉毀損　俺たちにシャンパンを飲ませるのは金持ちのトラブルだ！」

ボスはフレッド君の乗っている机にふうふう言って飛び上がる。血圧も高いし、この机は彼が独立した時に買った思い出のマホガニーの机だ。そこにフレッド君の靴跡がついているのを見て、ますます血圧は上がる。

フレッド君はさすがに歌い続けてシャツは汗だく、ベストまで黒く汗が滲んでいる。しかし、ボスとのデュエットが終わらない限り、まだ休めない。二人は手を取り合って踊るが、汗で滑って気持ち悪いことこの上ない。バックコーラスも必死だ。電話はますますうるさく鳴っている。就業時間はとっくに始まっているのだから、無理もない。

「僕は弁護士　夢をかなえた　子供の頃から夢見てた　熱血弁護士　正義の味方息詰まる法廷　土壇場の大逆転」
「俺たちは天使じゃない　正義の味方は映画の中だけ　正義じゃおまんまは食べられない」
（ケチな依頼人　厄介な依頼人　嘘つきの依頼人　これが現実さ）
「僕は弁護士　もうすぐ夢がかなう　シャンパンにペントハウス　葉巻にリムジン」
「俺たちは天使じゃない　離婚に買収　詐欺に名誉毀損　トラブルの匂いを探せ」
（ケチな依頼人　厄介な依頼人　嘘つきの依頼人　これが現実さ）

ようやくエンディング、決めのポーズ。ジャン！　とオーケストラの演奏が終わり、机の上で頰を寄せ合うフレッド君とボス。決まった！

二人はぜいぜいと机の上で膝を押さえて呼吸を整えた。背後では、先輩たちが慌てて電話を取り、頭を下げ、汗を拭いながら床の書類を拾い集めている。朝からこんな重労働になるので、ミュージカルも楽ではない。

踊り疲れた足を休めるのに精一杯で、フレッド君は午前中仕事にならなかった。先輩たちも、足に湿布を貼ったり、取り損ねた電話の内容を確認し、フォローする作業に追われて大変だった。ボスなんか、かかりつけの医者が呼ばれて、点滴をする始末。

だけど、ミュージカルなんだからしかたない。

がんばれ、フレッド君、次は恋のナンバーが待っているぞ。

上着を肩に掛け、フレッド君は昼食を摂（と）りに外に出る。

いつもの店に行こうと交差点を曲がったとたん、出合い頭に誰かとぶつかって、フレッド君は道路に投げ出された。疲れて足がよろよろしていたせいもあるかもしれない。

文句を言おうとして、やはり道路に倒れている若い娘に気付いた。

若い娘は慌てて起き上がり、フレッド君に駆け寄った。

「ごめんなさい、あたしったらよそ見をしていたもので。お怪我はありませんか」

フレッド君の全身を、電流のようなものが走った。

はにかんだ、心配そうな茶色の目。薔薇色の頰、形のいい唇。髪の毛はブルネットで、小柄だけれどバランスのいいスタイル。淡いブルーのスーツもセンスがいい。早い話、とっても可憐でフレッド君好みの女の子だ。

ここでファンファーレ!

しかも、パッと周囲が明るくなった。

さっきから後ろでごそごそしていたのは、照明器具を持ち歩いていたスタッフだったのだ。出会いの瞬間は、やはり世界が明るくならなくちゃ。タイミングがぴったりだったので、スタッフはホッとした様子。

彼女の後ろでは、ウインドブレーカーを着た別のスタッフが、花をちぎって撒いている。やっぱり、可愛い女の子の背景には花がないと。

ここで言っておくけど、総勢三十人にものぼるオーケストラのスタッフも大変だ。考えてみてほしい。朝一番からフレッド君のアパートの外で待ち構え、バスに伴走したロケバスの中でも演奏し、オフィスでは狭い廊下にぎっしり並んで演奏だよ。湿度や温度の急激な変化は楽器の大敵だし、いつでも同じコンディションで演奏するのって本当に難しいことなんだから。音楽家組合には、さぞかし苦情が殺到していることだろう。

だけど、それどころじゃない。話を先に進めなくちゃ。

フレッド君、たちまち心拍数が上がり、目を輝かせた。

さりげなく彼女の手を握り、立ち上がる。

「いえ、こちらこそ。交差点でぼんやりしていた僕が悪いのさ。ところで、君によそ見をさせた羨ましい野郎はいったいどこに?」

「まあ」

フレッド君の軽口に、彼女はポッと顔を赤らめる。彼女もまんざらではないようだ。よかったよかった。

しかし、彼女は周囲を見回し、不安そうに顔を曇らせた。

「そうだ、マイケルを探さなくちゃ」

「マイケル?」

フレッド君、眉(まゆ)を顰(ひそ)める。

「ええ、さっきホテルを出たところではぐれてしまって」

彼女はきょろきょろと周りを見る。

「きっと環境が変わったせいだと思うわ。神経質な子なの。早く見つけてあげないと」

「子供だって？　君、子持ちなの？」

フレッド君がそう叫ぶと、彼女は目を丸くして、それから笑い出した。

「嫌だわ、そんな歳に見えて？　マイケルはあたしのペットなの。ずっと外国暮らしをしていたんだけど、先週一緒に連れて帰ってきたのよ」

「なんだなんだ、そうか」

フレッド君はホッと胸を撫で下ろす。

「困っているお嬢さんを見過ごすわけにはいかないな。よし、探すのをお手伝いしよう。君、名前は？」

「アニーよ」

二人は町を歩き出す。

雑談する二人の後ろを、スタッフもぞろぞろついていく。若い二人は気まぐれに歩くので、止まったり、機材を下ろしたり、ついていくほうも大変だ。

いっぽう、フレッド君はアニー嬢がいよいよ彼の好みであることを確認し、思いは徐々に募っていく。これは運命の出会いかもしれない。そうだ、今朝の予感は彼女のことを指していたのだ。

「ちょっと、公園で休まないかい」

「そうね。歩き疲れたわ」

二人で公園に入っていく。

後ろにぞろぞろ続くスタッフを見て、公園でなごむ人々は一瞬驚いた顔をしたが、ミュージカルだというのに気付き、気付かぬふりをした。

二人は並んでベンチに座る。

照明部隊は、しかたがないのでベンチの後ろの花壇に入った。木の枝が折れ、中の花を踏んでしまったが、ここからでなければ二人の顔に照明が当てられないので止むを得ない。

フレッド君とアニー嬢は仲良く談笑しているが、フレッド君は、思いを打ち明けようとタイミングを見計らっている。

本当は、すぐにでも手を握り、どこかにしけこんでしまいたいのだが、なにしろそうは行かない。ミュージカルでは、愛の告白は歌うと決まっているからである。

指揮者も、フレッド君のほうをチラチラ窺いながら、キューを出すタイミングを探している。

アニー嬢が、助け舟を出してくれた。

「不思議ね」

うるんだ大きな瞳で、フレッド君を見つめる。

「とても初めて会ったとは思えないわ——まるでこうなることが決まっていたみたい」

フレッド君、ここですんなりアニー嬢の手を取ることができた。

指揮者がキューを出す。フレッド君、朗々と歌いだした。

「初めてとは思えない　その瞳　これまで知らなかったとは思えない　その唇　まるで生まれる前から知っていたみたい　君のこと」

アニー嬢も応える。歌は得意そうだ。

「初めてとは思えない　その声　これまで知らなかったとは思えない　その腕　ま

るで生まれる前から知っていたみたい　あなたのこと」

二人、手を取り合ったまま立ち上がり、ユニゾンで歌う。

「こうなることはずっと前から決まっていた　だからこそ僕らは出会った　これからはどの『初めて』も君と一緒　君が僕の未来になる」

「こうなることはずっと前から決まっていた　だからこそあたしたちは出会ったこれからはどの『初めて』もあなたと一緒　あなたが私の未来になる」

なかなか美しいナンバーだ。オスカー・ハマースタイン二世も真っ青の、ロマンチックなバラードである。

二人は踊り始めるが、アニー嬢は弱音を吐いた。

「困ったわ、社交ダンス系は苦手なの」

「大丈夫、ちゃんと踊れてるよ」

二人はひそひそと囁き合う。

「タップダンスだったら得意なんだけど」

「それはまた今度」

二人は公園をフルに使い、くるくる回りながら踊りまくる。

フレッド君、午後の仕事が気に掛かるけれど、こんな素敵な女の子と踊っているのだから、オフィスに戻るのは無理というものだ。減給されるかもしれないが、まだナンバーは続いている。

やがて二人は公園を出て町へ。

横断歩道の上で踊るが、なかなか終わらず、信号は赤になる。しかし、二人が難しいリフトをやったりしているので、車は発進できず。たちまち凄まじいクラクションが鳴り、後ろのほうで車が立て続けに追突する音が聞こえた。

「何してるんだ。ふざけるな」

「さっさとどけ！」

「救急車呼べっ」

辺りを怒号と悲鳴が飛び交うが、まだ間奏だからそれは無理だ。

ところが、悲鳴はどんどん大きくなり、バラバラと人が駆けてきた。ただならぬ気配に、さすがに踊り続けていた二人も踊りやめ、演奏も中断される。

スタッフがざわざわする。

「どうしたんだ」

「おい、あれは何だ」

見ると、道路の真ん中を、大きなライオンが駆けてくる。その恐ろしげなこと。たてがみをなびかせ、鋭い眼光で吠えるさまは、MGMのトレードマークの比ではない。

「うわあ。なんで都会のど真ん中にあんなものが」

「まあ、マイケル！　マイケルだわ！」

フレッド君が真っ青になったのと、アニー嬢が声を上げたのはほぼ同時だった。

フレッド君は、ぎょっとしてアニー嬢を見る。

「なんだって？」

「よかった、無事だったのね。可哀相に、怯えてるわ」

「あれが君のペットなのか」

「ええ、先週アフリカから帰ってきたばかりなの。向こうで赤ちゃんの頃から育てたのよ」

「危ない、アニー」

フレッド君が止めるのも聞かず、アニー嬢はライオンの前に飛び出していく。

ライオンは、アニー嬢を認めると、立ち止まって尻尾を振った。

突然、ライオンが歌い始める。

「僕は孤独だ　住み慣れたサバンナは何処　ここはコンクリートジャングル　仲間も家族もいない」

素晴らしいバリトンである。フレッド君はあっけに取られた。

「どうしてライオンが歌うんだ」

ライオンは鼻を鳴らす。

「そりゃあ、これがミュージカルだからに決まってるだろ。ミュージカルは動物も歌うんだ。ディズニーを見ろ、劇団四季を見ろ」

「確かに」

フレッド君が頷いていると、ライオンは更に歌い続ける。

「僕は孤独だ　人間たちに僕の孤独は分かるまい　彼らは自分たちの孤独を知らないのだから　住み慣れた故郷はどこ　ここは異国の地　都会の砂漠　ああ僕は孤独

なエトランゼ」

「そろそろ日が傾いてきた。マジックアワーは見えにくくなって、あまりミュージカルには向いてないいんだよな」

「そうね、そろそろ終わらせなくちゃ。フィナーレはどうするの?」

フレッド君とアニー嬢はライオンを挟んで踊りながら相談する。

「そうだなあ、マイケルを挟んで、ライオンを挟んで、シンメトリーになるように決めのポーズを取ろう。視線はあそこの信号機に合わせる。もうワンコーラス踊って、コーダ」

「ＯＫ」

ライオンは、踊るのはあまり得意ではないようだ。歌は彼に任せ、フレッド君とアニー嬢は優雅に踊り、一列に並んだ。

息を切らし、アニー嬢が毒づく。

「そもそも、これってただの小説なんでしょう? どうせ歌も聞こえないのに、なんでこんなに苦労しなきゃならないのかしら」

「しっ。しかたないよ、作者がミュージカル好きらしい。さっきのオフィスのセットなんか、まんま『プロデューサーズ』のパクリだし。さっ、ラストだ。並んで、決めのポーズ。目線は信号機」

「終わったら、トニーの店で食事しましょうね。やってられないわ、こんなの」

「その後は僕のアパートにおいでよ。君って本当に僕好みだ」

「うふん、そうね。行ってもいいわ」

見事なポーズで、二人と一匹はこの場面を決めた。

しかし、せっかくの演奏は上空のヘリコプターの音に掻き消された。

二人で空を見上げると、ヘリコプターからSWATの特殊部隊が次々とロープを伝って降りてくる。

「なんだなんだ」

「無粋ね、せっかく決めたところなのに」

キイン、と拡声器のスイッチが入った音が響く。

「伏せろ！　ライオンから離れろ！」

地上でも、銃を構え、防弾チョッキを着た男たちが叫んでいる。パトカーのサイレンもけたたましく、バラバラと走ってくる警官たち。

「どういうこと？　エンドマークはまだ出てないのに」

二人が怪訝そうに顔を見合わせたとたん、包囲した男たちの銃が火を噴いた。

あっけなく射ち殺される二人とライオン。

折り重なって、道路の上にバッタリと倒れた。

そう、これだからミュージカルは現実にはなかなか難しいのだ。それがたとえ短編でも、ね。

走り続けよ、ひとすじの煙となるまで

Run Until You Turn into a Stream of Smoke

車輪は怒号を上げ、呪詛を吐きながらも回り続けていた。

巨大な車輪は、休むことを知らず、鉄路に歯を立て、噛み付き、むしゃぶりつく。

そこここで上がる激しい火花は、無骨で獰猛な車輪を彩る一瞬の夢のよう。

いつ果てるともしれぬ鉄路の上を、王国は疾る。幾万もの民を乗せて、漆黒の闇の中を、または不安と失望を抱えた薄明の中を。

広い大地を縦横に切り裂く鉄路は、もはや遺跡のように大地と一体化し、土地の記憶の一部になっているように見える。

その鉄路の上を、巨大な獣のような王国は走る。

スピードを上げ、悲鳴のような汽笛を鳴らし、密林の中を、荒地の中を、かれは身もだえしながら進むのだ。

王国は走り続けることで動力を得ている。失速し、停止することはすなわち王国の死を意味するのである。

その疾駆する姿を、空を駆ける雷鳴の鬼神になぞらえる者もいる。もしくは水をもたらす蛇、翼を持つ竜にたとえられてもいる。確かに、咆哮を上げ、その長い胴体をくねらせながら地を這うさまは巨大な黒光りする蛇に見えないこともない。

それはなんとも壮絶で、見る者の胸を掻きむしる、異様で猛々しく、同時に神々しい眺めでもある。老いることの許されぬ、後継者を持たぬ王が、気力と執念のみを頼みにして、戦場で先陣を切るさま。王国は走り続ける墓標でもある。その走る墓標に向かって、漂泊の民が遠くで手を合わせる。

このようなシステムがいつの段階、いつの時代にできあがったのかは定かではない。

それは遥か昔、王国の創立者が現れるよりも以前、この駆動体が発見された時にまで遡る。

かつて、今は「=王国」となっているその駆動体は、ただの巨大な函であった。

それは広大な密林の中に黒く輝きながら埋もれており、まさに「発見」されたのである。

王国の先史において、「発見者」の地位は高く、その素性は謎に包まれている。一説によれば、彼らこそ「神」であったという。いわゆる天孫降臨の神話はいろいろなところで見られるので、「発見者」については、あくまでも先史としての認識でしかない。

では、そもそも密林より掘り出された駆動体＝王国はどこからやってきたのであろう。

その答えを知る者は、未(いま)だに一人としてこの世に存在しない。

駆動体＝王国は、当初より完璧な形で発見されたと言われている。

「発見」時、それは過去の文明の遺跡と見られていた——失われた神々の伝説はあまねく知れ渡っていたし、天井の部分に当たる箇所(かしょ)には見たことのない記号が多く刻みこまれていたからだ。

けれども、その全貌(ぜんぼう)が明らかになるにつれ、それは遺跡というよりも、まさに「駆動体」としか言いようのないものであることが判明する。

重厚で、隙(すき)のない堅牢(けんろう)な造形。巨大な直方体の函の連なり。

ひとつの函は、十二階層から成っており、その函＝個体は百八の連結部によって繋がれている。

「発見者」たちは、五年と六ヶ月の歳月を掛けて「＝王国」を掘り出した。

鉈や刀で密林を切り拓き、砂と土、からみつく蔦を払い、少しずつ「＝王国」の全貌を明らかにしていったのだ。

その全貌を「発見」していく過程については「発見記」と呼ばれる叙事詩に歌われているが、その内容はある種の英雄叙事詩的であり、具体的な記述が正しいかどうかは不明である。

しかし、当初から「＝王国」が完成された形で出現したこと、外壁に書かれた記号を解読しようと先人たちが努力したことは確かである（記号はこんにちに至るまで解読されていない。おおよその概要が予想されているのみである）。

唯一解読されている文言は、「＝王国」の先頭部分のプレートに刻まれた文句――「走り続けよ、ひとすじの煙となるまで」――今では王国の国是として有名な文言であるが、この部分のみである。これが何を意味するのかは、この「駆動体＝王国」の存在が現代に至るまで証明し続けていると言えよう。

「＝王国」は、最初のうちは発見されたままであり、何かに使用するということは考えられていなかった。

そこに人が住み始めたのも、「＝王国」が掘り出されるのに長い年月が掛かったゆえ、作業する「発見者」たちが中に滞在したのが始まりと言われている。

「＝王国」内の巨大な空間は、当初人々を怯えさせた。

「＝王国」は空っぽであった。不透明の窓の並ぶ空虚ながらんどうの函は、それまでこのような巨大な人工物を持たなかった人々に畏れを抱かせるにじゅうぶんだったのだ。一日以上滞在すると呪われるというもっともらしい迷信が流布され、のちに作業を手伝うようになった民たちも内部を怖がり、外で眠る者も多かったらしい。

しかし、時代の偶然が民に「＝王国」内への定着を促すこととなった。

気候の変動と疫病の発生がそれである。

ある年、数ヶ月に亙り「外部」が度重なる豪雨や洪水に見舞われたことにより、集落のほとんどが維持できなくなり、新たな定住地を探さねばならなくなった。

収穫はできず、できても雨に腐り、更には皮肉にも水が不足し疫病が発生する。ひとたび発生した疫病はたちまち蔓延し、そこここに遺体の山ができてそれがまた新たな感染源となって被害を拡大させた。

逃げ惑い、疲弊する民が「＝王国」に目を向けたのはそんな中でのことである。

巨大な恐ろしい空洞、すべてを無に還元する暗闇の象徴であった「＝王国」の中に入れば、疫病ですら寄り付かないという噂が膾炙したのだった。

人々は、その噂にすがった。

続々と巨大な空間の中に民が住み着いてゆき、やがて彼らは気密性の高いその空間に、居住地としての適性を見出すようになっていったのだ。

すると、今度はそれぞれが自分の縄張りを主張するようになり、流入し続ける人々に対して先行者が権利を主張するようになる。無秩序な「内部」ではそこここでこぜりあいが起き、犯罪が横行する。

そこに現れたのが「聖なる三兄弟」であった。

彼らがどこからやってきたのかは誰にも分からない。「外部」の西の果て、大地の切れるところからと言われているが、血の繋がった兄弟であったのは事実で、顔も背格好もたいそうよく似ていたという。ただし、目の色が三人とも異なり、長男は黒、次男は青、三男は碧だったらしい。

新参者であったものの、三人の存在は誰から見ても特別だったようである。

たちまち人心をつかみ、無法地帯であった「内部」を「=王国」へと導いた彼らは、必然的に「内部」の王となったのだった。

ここから「＝王国」の歴史が始まる。

「聖なる三兄弟」は「聖なる三賢王」としてその名を刻み始めたのだ。

「聖なる三賢王」は、三つの個体の最上層に居を構えた。

まだその三つの個体にしか民は住み着いていなかったし、それぞれの個体にもじゅうぶんに余白はあった。

「聖なる三賢王」は、それぞれの個体の中での自給自足を図る。

底辺部の階層では、土や水が持ち込まれ、食糧を栽培することが試みられた。醗(はっ)酵(こう)の開発も進められ、酒や調味料の調達も求められた。

その上の階層では、工場が集められた。繊維や道具、建材などが作れるように作業場が造られ、日に日に改善が為(な)されていく。

さらにその上の階層では市場が設けられ、物々交換や交易が行われるようになった。

居住区はそれよりも上である。

高さというのはいつの世もステイタスであるらしく、徐々に力を持つ民、財力を蓄えた民が上の階層を目指すようになった。

いつしか最上階の王の居住地の下は王に忠誠を誓った貴族と呼ばれる階層が占め

るようになり、各個体におけるヒエラルキーが形成されていく。

個体における自給自足が完成し、ヒエラルキーが固定すると、人口が増え始めた。三つの個体は手狭になり、「聖なる三賢王」は、次の個体への植民の計画を考え始めた。彼らも老い、それぞれに儲けた子供たちに「＝王国」を委譲する時期が迫っていると判断したのである。三つの個体を長子に譲り、それ以外の子供たちに新たな個体を与えるべく準備が開始された。

若い入植者を募り、新たな個体の自給自足の基盤を作るべく再び最下層の階層に土、樹木、苗などが持ち込まれた。三つの個体で培われた技術は新たな個体でも成果を発揮し、植民は着々と進んだ。このような植民は何世代にも亙って行われ、隣の個体から個体へと広がっていく。

「＝王国」が初めて動力を得た時ははっきりしている。

動力もまた「発見」されたものであるが、その「発見」は劇的なものであった。

連結部を通り、個体から個体へと植民が進み、四十九番目の個体への入植準備が始められた時のことである。

その個体がそれまでのものとは異なっていることを、入植者たちは早いうちから気が付いていた。

個体の奥に、各階層を貫いて隔てられた巨大な一室があることを、偵察した入植者が発見していたからである。

その一室の扉には、やはり見たことのない記号が多数刻みこまれていた。

扉は施錠されておらず、入植者たちは警戒しながらも恐る恐るひんやりとした空気の中に足を踏み入れた。

彼らがそこで目にしたものは、巨大な「炉」であった。

球形をした、十二階層を貫くほどの「炉」としか呼びようのないものは、彼らを当惑させたものの、これが何かの動力源であることは、「＝王国」のこれまでの産業技術の蓄積によって見当がついた。

どのようにして動かすのか？　何を使っているのか？　そして、何を動かすのか？

技術者が呼ばれ、調査が行われたものの、操作盤らしきものが見当たらないため、いっかな使用方法は判明しなかった。

数週間を経て、それが動き始めたのは、とある偶然からであった。

技術者のひとりが、幼い子供を連れてきていたのである。

子供は、十二階層を貫く、まるで空ほどに遠い天井を見上げ、思わず大声を上げた。自分の声が、天井まで届くかどうか、こだまが返ってくるかどうか試してみたらしい。

しかし、子供が狙っていた効果はなかった——それどころか、全く予想もできなかったことが起きたのである——「炉」に明かりが灯（とも）り、かすかに震動し始めたのだった。

巨大な部屋のあちこちに次々と照明が点いてゆき、それまでしんと静まり返っていた部屋は皓々（こうこう）と輝きだし、何かが「動き」始めたことは明白だった。

研究者たちは身を寄せあい、呆然（ぼうぜん）とし、震動する世界を見上げた。

「炉」は徐々に輝きを増してゆき、中で何かが胎動する気配がした。

竜が目覚めるようだった、と彼らは書き残している。

そして、「炉」の中で、猛然と何かが回転し始めた。

何が回っているのかは分からないが、凄（すさ）まじい高速で何かが回転していることは間違いがない。

震動は少しずつ大きくなっていった。

何が起きているのか、理解するまでには時間がかかった。

彼らは、彼らの立っている個体そのものが動いていることに気付かなかったのだ。

いっぽう、「＝王国」はパニックに陥っていた。世界が揺れ、この世の終わりが来たのではないかと思い込んだ人々があちこちで泣き叫んでいた。

何代目かの王たちも、突然の事態に為す術もなく立ち尽くすばかりである。こんな事態に対処する術は、さすがの先祖も残してはくれなかった。

連結された個体そのものが動いているということに気付いたのは、窓のそばに住む民であった。外の景色が動いている。そのことを発見した時、彼らは自分たちの目を疑った。

実は自分たちのほうが動いている、ということに気付き、それを認めるまでには多くの時間と、多くの民の同意が必要であった。

「＝王国」が動いている、という事実を受け入れるまでには更に時間がかかった。「＝王国」が巨大な車輪に支えられており、その下に二本の鉄路が走っていることは発見された当時から明らかにされていたが、それが何のために存在するのかを考えた者はいなかった。鉄路は、巨大な「＝王国」が沈みこむのを避ける礎石のようなものだと解釈されていたのである。

かくて「＝王国」は走り始めていた。

「＝王国」内で、ある程度の自給自足ができていたので民の生活にはとりあえず支障はなかったものの、長い歳月の間に「外部」との交易や行き来もあったので、「外部」から切り離されたことへの衝撃は大きく、その精神的打撃を心配する声は強かった。

それよりも、当面の問題は、果たして「＝王国」がいったいどこに向かっているのか、あの巨大な「炉」を統御することは可能なのか、この先何かに衝突したり墜落したりという危険性はないのか、ということだった。

王たちは怯えた。どこかに衝突し、「＝王国」が破壊されてしまうことを。それこそ、この世の終わりである。

だが、そのいっぽうで、「炉」を維持し続ける燃料が切れた時点で自然に止まるのではないかという意見もあった。これだけの巨大な「＝王国」を牽引し続けるには、膨大なエネルギーを必要とするはずである。

もっともな意見であり、それは皆に支持された。彼らはそこに希望を託した。

しかし、「＝王国」は止まらなかった。

「＝王国」が疾走し始めて数ヶ月が経過した。

「炉」はいよいよ輝き、「炉」の中の何かは高速で回転し続けた。民は日に何度もそこに向かい、「炉」の輝きを見、回転する音を聞いたが、それはいっこうに止む気配を見せない。

いっぽう、何かにぶつかる気配も、どこかに目的地がある気配もなかった。

日々「炉」を観察している技術者は、「炉」には前方に障害物がある場合、それらを事前に察知する能力があることに気付いたのである。

しかも、どうやら「＝王国」の最前部には、それら障害物を破壊する部分があることも分かってきた。

これまで、「＝王国」の最前部を見たことのある者はいなかった。

植民されていない個体の中に入ることは、なんとなくタブー視されてきたのである。

しかし、この「＝王国」の能力とこの先の行方を占うためには、最前部の調査が欠かせないことは明らかだった。

調査隊が組織され、彼らは数日をかけて最前部に辿り着く。

最前部は、小さな個体だった。階層もなく、がらんとしている。

彼らはあっけに取られた。

そこには何もなかった。

前方に延びる鉄路が見える、巨大な窓があるだけだ。

障害物を破壊する機械は、見えない部分に内蔵されているらしく、実際に破壊するところを見る機会は訪れなかった。

やがて、かつて見たことのある風景が繰り返されていることに気付く者が出てくる。

つまりは、鉄路には始めも終わりもなく、ぐるりと円を描いているということになる。

「＝王国」は、循環運動を繰り返しているのだった。

計測によれば、ほぼ半年に一度の割合で、同じところを走っていることになる。

この結果をどう考えればよいのだろうか。なぜ「＝王国」はどこにも停車せず、ぐるぐると循環を続けるのか。いったい何のために。

凄まじい速度で疾駆し続ける「＝王国」に、やがて人々は慣れていく。

どうやら、「炉」はいったん動き始めると、おのれの動きそのもので発生するエネルギーを動力として更に進み続けるようであった。つまりは、一種の永久機関が実現していたのである。

　輝き続け、回転し続ける「炉」。

　それは祈りの場となり、祈りの対象になった。信仰の対象となった「炉」を王族も無視することはできず、「炉」では神聖な行事が執り行われることになっていく。

　走り続ける「＝王国」に慣れた民は、「外部」との連絡を試みるが、疾駆する「＝王国」は、既に「外部」では畏怖の対象となっており、恐ろしげな噂が津々浦々まで流布されているらしく、既に「＝王国」は孤立していた。

「外部」との接触が難しい上に、偏見がまかり通っていることから、やがて民は「外部」との交流をあきらめていく。

「＝王国」は走り続ける伝説となったのだった。

　走りながらも、「＝王国」では人口が増え続けていた。

　更に数世代を経て、いよいよ個体の中は埋まり続け、階層は分離してゆき、個体どうしの抗争や世代間の格差、階層どうしの反目など「＝王国」の様相は複雑になっていく。

特に問題となったのは、「＝王国」成立当時の三つの個体と、それ以降に開拓された個体との確執であった。

「聖なる三賢王」に直接統治された三つの個体は自尊心が高く、最も由緒ある個体と自分たちを認識していた。個体としての産業能力や民の教育水準も高く、時代の新しい植民地である個体との接触を軽蔑（けいべつ）する傾向があったのである。

個体どうしでも、新興であったり、最上層の王の統治能力に差があったりして、長い歳月の間に格差が生じてきていた。そうなると、必然的に、羽振りのいい個体、治安のいい個体に対する妬（ねた）みや羨望（せんぼう）が生まれ、そちらに移動しようとする者と、移動してこられることを嫌がる者とが生まれてくる。

更に、王族の間でも権力闘争や派閥が現れていた。

羽振りのいい個体と縁組をさせたり、弱った王のいる個体を乗っ取ったりと、血生腥（なまぐさ）い権謀術数（けんぼうじゅっすう）が渦巻くようになる。

すべての個体が埋まった今、新たな植民地はもう存在しない。増える王族の領地をどうするかは、どの個体にとっても頭の痛い問題となりつつあった。

時に血みどろの王殺し、兄弟の殺し合いなども起き、長老たちはかつての「聖なる三賢王」時代を懐古するのが日課となる。

王族の抗争は、民へもじわじわと暗い影を落とし始めた。「＝王国」は殺伐（さつばつ）とした空気に覆われていく。

そんなある日、象徴的な事件が起きた。

王族のひとりが、自分の行く末に絶望し、最上階の窓から身を投げて死んだのである。地面に墜落し、動かなくなった王族を、多くの民が目撃した。

これは「＝王国」にとっては衝撃的な出来事であった。

厭世（えんせい）的な気分が蔓延していた「＝王国」の民は、「＝王国を捨てる」という選択肢があることに気付かされたのである。

以来、「＝王国」から身を投げる者が続出した。年寄りから若者まで、次々と「＝王国」を捨てる者が後を絶たなくなったのである。低層階から身を投げた者の中には、生き延びた者も少なくなかったようだが、彼らが「外部」でどのように生きていったのかは誰にも分からないし、生き延びた彼らが「＝王国」をどのように伝えていったのかも不明である。

いっとき、あまりにも「＝王国」を捨てる民が続いたので、王族たちは窓辺に見張りまで立てて「＝王国」を捨てることを厳しく禁止した。中には、個体を維持するぎりぎりのところまで労働人口が減ってしまったところも出てきたくらいだった。

更に、追い討ちを掛けたのは、かつて「＝王国」を築くきっかけになった疫病の発生だった。

労働人口の急速な減少で、衛生管理が滞った結果、最下層で疫病が発生し、それはたちまち階層を駆け上り、個体内に蔓延していったのである。

他の個体は感染を恐れ、連結部を封鎖した。

疫病から逃れようと連結部に殺到する人々の叫びや封鎖を破ろうとする槌の音がひと月近くもの間響いていたが、やがて静かになり、文字通り死の沈黙が個体を満たしていった。

ようやく封印が破られたのは、数年が経ち、人々の骨が朽ち果てた頃になってからのことである。

それでも、「＝王国」は相変わらず雄叫びを上げ、獰猛な唸りを上げて走り続けていた。信仰の対象であり、ある意味では「神」となった「炉」は、いよいよ輝き続け、高速で回転を続けていた。

黒い竜は循環運動をひたすら繰り返していた。

年に二回通り過ぎる悪魔の話は、いよいよ神話となり、「外部」で語られ続け、題材として詩が作られ、物語が作られ、絵が描かれていた。

「＝王国」の民は、いつしか止まることを恐れ始めていた。

かつては、いつか止まるであろう、いつか止まってほしいと思っていた「＝王国」だったが、今度は止まった時に何か恐ろしいことが起きるのではないかと思われるようになっていたのである。

民は、「＝王国」が走り続けることを願った。

永遠に、「＝王国」が疾駆し続けることを祈った。

「走り続けよ、ひとすじの煙となるまで」

いみじくも、最初に発見されたプレートに刻まれた文字、国是となったその言葉が、文字通り「＝王国」の存在意義となったのである。

「＝王国」では、歴史学者が生まれ、哲学者が生まれ、思想が語られた。

彼らはいずれも「疾駆し続けること」の意義について飽くことなく語り、悩み続けていた。

ただひたすらに同じ鉄路を循環し、疾駆し続けること、高速で回転を続け、輝き続けることの意味とはいったい何なのか？

答えは得られなかった。

しかし、現実に「炉」は回転を続け、「＝王国」は黒い巨体を揺すって走り続けている。この現実、この真実に対して、いったい何を語ればよいのか。その意味を問うことは虚（むな）しい思考実験ではないのか。

彼らは何年にも亙って論じ続けていたが、答えは得られそうになかった。

疾走を続ける「＝王国」は、老い始めていた。

生まれる子供の数が減っていた。労働人口が頭打ちになるいっぽうで、老齢者の割合がじわじわと高くなり、「外部」からの流入が期待できない「＝王国」は徐々に活力を失いつつあったのだ。

王族たちも未来を語ることはなくなった。

「＝王国」の滅びの予感だけが、彼らの中をゆっくりと満たしていった。

「聖なる三賢王」の末裔（まつえい）たちは、歴史学者たちと過去を語った。「発見」された「＝王国」、掘り出された「＝王国」、走り始める前の祝福された「＝王国」、走り始めた「＝王国」のことを。

それでもなお、彼らは「＝王国」が走り続けることを願った。

　もはや、止まることなど許されるはずはなかった。「＝王国」が走るのを止める時は、「＝王国」の終焉（しゅうえん）の時でもあるはずなのだ。

　彼らはますます「炉」を崇（あが）め、王族たちの生活のほとんどは、日がな輝く「炉」を囲み、「炉」を崇拝することに捧（ささ）げられた。

　いつしか民は生産活動をやめていた。

　労働できる者は極端に減り、もはや彼らは個体を維持するだけの能力を持たなかった。

　個体のシステムから外れ、細々と個体の片隅で生きる共同体がぽつぽつと見られる他は、ひたすら横たわり、夢見、最期の時を待つ人々で埋まっていた。

　それでも「＝王国」は走り続けていた。

　鉄路の上を、手綱（たづな）を緩めることなく、悪鬼のように、雷神のように。

　やがて民が消え、王も消え、彼らが作り出した多くのものも「＝王国」の中で朽ち果てていく。

　今や「＝王国」は巨大な棺（ひつぎ）であり、墓標である。

中にはかつての「＝王国」の遺跡が残っているばかりであり、それすらも歳月の中ではゆっくりと失われていくことであろう。

やがては、かつて「＝王国」が「発見」された時のように、空っぽの函だけが残るだろう。

それでもなお、「＝王国」は「＝王国」のままであり、果てしない疾走を続ける。そこには意味も意義も存在しない——ただおのれの身体に刻み込まれた、「走り続けよ、ひとすじの煙となるまで」という言葉に、かちどきの声を上げて従い続けるだけなのだ。

SUGOROKU

Sugoroku

夕暮れの鐘が鳴ります。

いつもながら、ゆったりと厳かな、そしてどこか不吉な音色。

今日も一日のおつとめが終わったのです。

みんなが顔を上げ、壁の時計を見て、鐘の音に耳を澄ませます。

刺繍をしていたモナはやれやれというように肩を押さえ、針に糸を通そうと四苦八苦していたイムは針を布に突き刺してふわあっと欠伸をします。

白塗りの壁の部屋は、窓から射し込む夕陽にぼんやりと染まって、ホッとするような、少し淋しいような心地にさせます。

「ああ、疲れた」

モナは年寄りのように大きく溜息をつき、椅子の上でだらしなく背中を丸めます。

「ほら、行かなくちゃ。遅れるとまた叱られるわ」

私がモナに声を掛けると、イムが「放っておけば」と興味なさそうに呟きました。

モナはムッとしたように立ち上がり、一緒に廊下に出ます。

この部屋からは、小さな町の中心にある中央の広場はそんなに遠くありません。天井にアーチ状になった柱がたくさん並ぶ回廊を三つほど抜ければ、もうそこに鐘楼(しょうろう)が見えてきます。

あちこちから、ぱらぱらと少女たちが駆け出してきました。

白いシャツの上に黒の貫頭衣を着けた彼女たちが出てくると、いつも私は影絵が動いているのを見ているような錯覚に陥ります。白と黒の少女たちの、白い広場に泳ぐ黒い影。それがチラチラするのを見ていると、何か悪い夢を見ているような心地になるのは私だけでしょうか。


からからから。


鐘楼の上で、「三人姉妹」のひとり、サマが手に持った鐘をけたたましく鳴らしています。

もうひとりのヤミは広場に集まった少女の数を数えていますし、三人目のムマは手にしたお告げを確認しています。早く集まらないと、真っ先にサマの機嫌が悪くなり、鐘を鳴らし始めるのです。

「三人姉妹」と呼ばれてはいますが、この三人がほんとうにきょうだいなのかは誰も知りません。似ているような気もするし、赤の他人のようにも見えます。けれど、この三人が私たちよりもずっと年上であることは確かです。私たちの倍の歳なのか、三倍の歳なのか、それ以上なのかは分かりませんけれど。

「さあ、祈りましょう。明日のために。マザーのために」

サマが大きな声で叫び、両手を広げて私たちを睨みつけます。鐘楼の上では逆光になってしまい、よく表情は見えないのですが、あのぎょろりとした大きな目で広場の隅々まで目を光らせているのは誰だって見当がつきます。

私たちは慌てて目を閉じ、手を合わせて祈ります。


早く、前の部屋に進めますように。

早く、一日も早く、「上がる」ことができますように。

私は真剣に祈ります。だって、早くこの町を出たいからです。この町を出るためには、「上がら」なくてはなりません。私がこの町に来ている間、家族には僅かな日当が支払われていますが、それではパンの足しにもなりません。私はこの町を出て、もっと人の役に立つことをして、家族に送金できるだけのお金を稼ぎたいのです。でも、最短でもふた月はかかるという噂のこの町で暮らしたのは、まだたったの二週間です。

「本日、『上がり』の者が出ました」

ムマが誇らしげに宣言しました。「上がり」。この言葉を聞くとみんながぴくっとするのが分かります。みんなが求めている言葉だからです。

わあっとどよめきが広場を揺らします。

その幸運な少女は誰なのでしょう。

「イサ村から来たアユです」

わっ、と羨望(せんぼう)に満ちた歓声が上がりました。この歓声は、アユを知っている少女たちから上がったものでしょう。その少女をひとめ見ようと背伸びをしてみますけれど、すっかり囲まれてしまっていてちっとも見えません。

「しっ、静かに」

サマの叱責(しっせき)に、辺りは静まり返りました。

「では、本日のお告げを発表します」

ムマが重々しく宣言します。

少女たちが息を詰めて、ムマの口元を見つめます。

「ダク村のイト、三部屋進む。同じくダク村のミト、一部屋進む。シテ村のカレ、一部屋進む――」

ムマは朗々と、一定のリズムを崩さずにえんえんとお告げを読んでいきます。みんな、自分の名前を呼ばれるのを今か今かと待っています。

だいたいは前の部屋に進むことができるのですが、不運な場合もあります。

「シド村のリマ、二部屋戻る」

息を呑む音が聞こえ、落胆の声が上がります。

これもやはり、リマを知る少女たちのものでしょう。

毎月一日に、十三を迎えた少女たちがこの町にやってくるので、一緒に町に入った子は知り合いになるものなのです。

「同じくシド村のイリ、一回休み」

これもまた落胆のどよめき。

「シリ村のアニ、六部屋進む」

わあっと歓声が上がりました。

みんなが私を注目しています。

目の前が開けるような心地がしました。六部屋。ひと晩で進める数としては、いちばん多いのです。嬉しい。顔がカッと熱くなります。

「ついてるわね」

ねっとりした声でモナが呟くのが聞こえますが、これは私の幸運なのですから、私は聞こえないふりをしました。

まだお告げは続いていますが、私は六部屋も進めることを思って、夢心地でした。

ところが、突然冷たい声がそれを破りました。

「カテ村のサリ、振り出しに戻る」

一瞬、辺りが凍りついたようになりました。

みんなが黙りこくり、こそこそと周囲を見回しています。

わーっ、と広場の隅で誰かが泣き崩れました。

そちらに視線が集まります。

おさげ髪の小柄な女の子が、うずくまって泣いていました。その姿に見覚えがありました。ひょっとして――いいえ、間違いない。まさか、またあの子だなんて。

「またサリだわ」

「どうしてかしら。これで三回目じゃないの」

ひそひそと不穏な囁き声が聞こえてきます。

「振り出しに戻る」というのはそんなにないと聞きますが、彼女はなぜかこれが三度目らしいのです。この町に来た時と同じ、いちばん町外れの、門の近くにある殺風景な部屋に戻らなければなりません。彼女はもう半年近くここにいるといいます。これでまた振り出しに戻ったら、ひと月は「上がる」のが遅れます。

「知ってる？　ダイスの呪いで、いつまでもここから出られない子がいるって」

「聞いたわ。いつのまにか振り出しに戻ってるって。いつまでも出られないで、おばあさんになって、そのまま幽霊になってしまったんでしょ？　振り出しの壁に映る影は、その子の影で、髪を振り乱したおばあさんになってるんだってね」

ひそひそ声は続きます。

周りの女の子がサリを慰めていましたが、お告げはその間も淡々と続き、ムマがお告げを載せた帳面を閉じたので、今日のお告げが終わったのだと分かりました。

全員のお告げを読み上げているうちに、すっかり日は暮れかかっています。

みんながぞろぞろと歩き出しました。

うなだれたサリも、友達に付き添われて広場を出てゆきます。これから荷物をまとめ、椅子を持って遠い「振り出し」まで移動していかなければなりません。その心境を思うと、可哀相な気持ちで胸がいっぱいになりますが、自分がそうでなくてよかった、と安堵する気持ちがあるのも確かなのです。

先ほどまでいた今日の部屋に戻り、この町に来た時に与えられた小さな机の付いた木の椅子の上に、身の回りのものが入った小さな行李と丸めた布団を載せて、みんなが移動を開始します。

回廊には椅子を運ぶ少女たちの影が伸びて、またしても影絵を見ているような心地にさせられるのでした。

イムはふたつ、モナはひとつ進んだようです。

彼女たちの羨望のまなざしを感じながら、私は六部屋先の部屋に入りました。

誰もいない時もあるし、時々八人も一緒になってしまうこともあります。

けれど、その部屋にいたのは私の他には一人だけでした。

痩せっぽちで背が高く、硬くて赤い髪が肩のところまで広がった子です。

「上がりましょう」

私が挨拶すると、彼女はちらっと私を見て気のない声で「上がりましょう」と呟きました。なんだかぶっきらぼうな子のようです。

「この部屋は何なのかしら」

私は椅子を置き、荷物を床に降ろして辺りをきょろきょろ見回しました。

「あれみたい」

少女はそっけなく部屋の隅を指差しました。

そこには、水の入った皿と、筆が何本か納められた箱があります。どうやら、壁に水で絵を描く、というのがこの部屋のおつとめのようです。

「そうなの」

私はホッとしました。それぞれの部屋にはその部屋のおつとめがあります。私はここ三日間、なぜか刺繍ばかり続いてしまい、すっかりあきあきしてしまったのです。

「休み」には「一回休み」と「二回休み」があるのですが、「休み」の部屋では何もおつとめがなく、夕方の「お告げ」を聞くことはできず、もうひと晩（もしくはふた晩）そこで過ごさなければなりません。

ガラガラガラ、と台車の音が聞こえてきました。

「姉妹」たちが夕食を配りに来たのです。夕食を配るのと同時に、私たちがちゃんとお告げ通りに移動し、きちんと自分のお告げの部屋にいるかどうか確かめているのです。

質素な夕食をもそもそと食べていると、唐突に彼女が口を開きました。

「ここに来て何日？」

そのそっけないこと、質問されているとしばらく気付かなかったくらいです。

「え？　ああ、二週間よ」

「へえ。そうとう早いほうね。あたしは三週間」

少女は皿に目を落としたままぼそぼそと呟きました。

「そうなの。あなたはどこから？　あたしはシリ村のアニ」

「あたしはエドから。キキよ」

赤い髪の少女は、名乗る時もひとりごとのようです。

「『休み』になったことはある？　『戻る』は？　たぶん『振り出し』はないわね、今ここにいるんじゃ」

キキはぼそぼそと気のない質問をしました。

「ううん、ないわ。考えてみると、必ず進んでる」

「――そうなんだ」

キキは暗い声で頷きました。この口調は、私を羨んでいるという感じではありません。むしろ、気の毒そうな声に感じられ、不思議に思いました。

「あたし、早く『上がり』たいわ。あなたはどう？　早くここを出て、働きたいの」

そう話しかけると、キキは初めて私の顔を見ました。

「ねえ、『上がり』がどういうことか知ってる？」

「え？」

私は面食らいました。こんなことを聞いてきた子は彼女が初めてだったからです。

「何かご褒美(ほうび)が貰えて、名誉なことだと聞いたけど。うちの村にも、お土産をいっぱい持って帰ってきた子がいたわ」

「うん、そういう子もいるわね。うちの村にもいた。牛を貰った子もいたっけ」

「ええ。だからみんな、あたしが早く『上がる』のを楽しみにしてるわ」

「そう」

キキは再び皿に目を落とし、更に暗い声で呟きました。

「実はあたしもないの──『休み』になったことも、『戻る』も、『振り出し』に戻ったことも」

翌日、一日のおつとめを終え、私とキキは広場に出ました。

いつものように、鐘楼で「三人姉妹」がお告げを始めます。

キキは思いつめたような表情で、じっとお告げを聞いています。その様子は尋常ではありません。他の子たちはわくわく期待する様子で目を輝かせているというのに。

ふと、彼女のゆうべの暗い口調が蘇りました。

なぜかしら。「休み」も「振り出し」もないということは、最短で「上がれる」可能性があるということなのに。彼女はここを出たくないのかしら。

「エド村のキキ、一部屋進む」

キキの目が怯えたように大きく見開かれました。

彼女の戦慄(せんりつ)が伝わったような気がして、私もぶるっと身震いしてしまいました。

「シリ村のアニ、一部屋進む」

ふと、自分が呼ばれたことに気付きました。キキと同じ。明日も同じ部屋です。

なんとなく、安堵しました。

「一緒だね」

そうキキに声を掛けると、キキはのろのろと、何か恐ろしいものでも見るように私の顔を見るのです。私がよほど驚いた顔をしていたのか、キキは「ああ」と顔を背(そむ)け、「そうだね」とだけ呟きました。

一日これをやるのは大変そうですが、前日と同じものよりはいいかもしれません。

隣の部屋は、糸つむぎの部屋でした。

けれど私は、キキの顔色のほうが気になりました。なぜこんなに元気がないのでしょう。

食事を摂りながら尋ねるきっかけを窺っていましたが、キキは俯いたままなのできっかけがつかめません。

食事が終わり、顔を洗い、部屋の隅に支給された布団を敷いて横になり、消灯の時間を迎えたあとも、私は話し掛ける機会を探していました。

「この部屋は、『上がり』までどのくらいのところに来ているの?」

ようやくそう声を掛けると、キキも目を覚ましていたらしく、こちらを向く気配がしました。

「半分近くまで来たと思う」

キキの声は冷静さを取り戻していました。その声を聞いて、最初のぶっきらぼうな印象は、ひょっとして何かの不安を押し殺していたせいなのではないかと思ったのです。

「ダイスの目の最高は六。毎日『六部屋進む』が出続けたとして、最短で四週間。そう聞いた」

「四週間」

私は思わず繰り返していました。私の場合、「六部屋進む」が出たのは一度しかありません。さすがに四週間では無理でしょう。

「キキは出たくないの？『上がり』が嫌なの？」

「ううん」

私の質問に、暗闇のキキは即座に否定しました。

「出たい。早くここは出たいよ。だけど、このままでは出たくない」

キキの声に、再び混乱と恐怖が滲み出ていました。

私は背中がひやりとして、思わずキキのほうを見ていました。もっとも、暗闇の中では、おぼろげに輪郭が感じられるだけでしたが。

「矛盾してるわ」

濃密な沈黙が身体にのしかかります。

けれど、私はキキの返事を待ちました。どうしてもこの返事を聞かなければならない。そんな気がしたからです。

「――お土産を貰って帰った『上がり』は、きっと囮（おとり）なんだ」

ようやく口を開いたキキの言葉の意味が分かりませんでした。

「囮？」

「うん。そうすれば、『上がり』になるといいことがある、うちの子も行かせよう。みんなそう思うからね。だけど、みんな知らない。『上がり』になっても帰ってこない子がいるということを」

「どうして帰ってこないの」

じわじわと身体が冷たくなるのを感じます。

「本当の、奴らが待っている『上がり』だから」

「本当の『上がり』はそうじゃないのとどう違うの」

「『姉妹』の奴らはね」

キキが「奴ら」という言葉に嫌悪を込めたのに驚きました。睨みつけるサマの目が浮かんでゾッとします。

「日がなダイスを振っている――地下の聖なる墓所で、まじないを唱えながら――

占い続けているんだ――あたしたちの運命を使って。『姉妹』は、あたしたちで国の行方を占っているんだ」

「それで？　あたしたちで占って、どうするの？」

私の声はかすれていました。

「分からない――一度も止まらないで、最後まで進み続けた者だけを、何かに使うんだということしか」

「何かって何？」

「分からない」

キキは突っぱねるように拒絶しましたが、その答えを知っているからこそ、即座に否定したような気がしました。

「でも、村に帰れないことは確か。だって、あたしの姉さんがそうだったから。姉さんはとても早く『上がった』のに、とうとう帰ってこなかった。同じ村の子から聞いたの。姉さんが、五週間で『上がった』って」

キキの低い声が耳に残りました。

それがいったい何を意味するのかは、考えたくありませんでした。

それ以来、なかなかキキと話す機会はありませんでした。二人の進む部屋が異なってしまったからです。

けれど、私はキキのお告げを毎日じっと聞いていました。恐らくキキも私のお告げに注意していたに違いありません。部屋こそ一緒にはなりませんでしたが、広場で互いのお告げを聞いたあと、ふと目が合うことが幾度かあったからです。

そして、進む部屋の数こそ違え、私たちは二人とも進み続けていました――私のほうが早かったり、キキに追い抜かれたり。

夕暮れの鐘。

「三人姉妹」の声。

少女たちの一喜一憂。

石畳に、回廊に、影絵のように泳ぎ回る白と黒の少女たち。

部屋は少しずつ進み、「上がり」が近づいてきていることが分かります。

壁には古くから伝わる祝詞（のりと）や歌謡が刻まれ、おつとめは、それを目を閉じて唱えることに変わってきました。

す。

「上がり」は「振り出し」とは反対側の町の外れ、いちばん小高いところにありま

いい匂いのするモクセイの木に囲まれた、小さなお城。

少女たちは、回廊から、広場から、部屋の窓からお城をうっとりと仰ぎ見ます。

あそこには「マザー」がいる。「上がり」になれば、マザーの祝福と共に、たくさんのお土産が貰える。

少女たちは頬を赤らめ、自分たちがその日を迎える時のことをうわずった声で想像しあいます。

彼女たちの他愛のない、熱を帯びた笑い声を聞きながら、私は身体の中がしんと冷たくなった心地がしました。

私はまだ進み続けています。このところ、ずっと一部屋しか進みませんが、それでもまだ「休み」も「戻る」も「振り出しに戻る」にも当たっていません。

そして、キキもそうでした。

回廊で、時折キキが暗い顔で移動していくのを見ることがあります。

彼女と同じ村の子に、少し話を聞くことができました。

なんでも、キキの家は「強運の家」なのだそうです。古くからくじや賭(か)けに強く、

代々村の重役を務め、そういう血を子供たちが皆継いでいるということでした。キキのお姉さんが帰ってこないのは、村では「国の巫女になった」「最も幸運な娘」という華やいだ伝説で語られており、キキが心配しているようなことを考えている人は誰もいないようです。キキがお姉さんと同じく、一度も引っ掛からずに進み続けていることを、同じ村の娘たちは嫉妬と羨望のまなざしで注目していました。キキのぶっきらぼうな態度を傲慢だと感じている子もいるようです。

いったいどちらが本当なのでしょう?

私たちは幸運なのか不運なのか?

しかし、回廊の隅で、キキが唯一羨ましそうな顔をするのは、三度の「振り出し」を経験し、今もまだのろのろ一進一退している、俯きがちなサリを見ている時だけなのでした。

夕暮れの鐘が怖くなりました。

鐘楼の逆光に浮かぶ「三人姉妹」。

朗々と響くお告げ。

私は四週間目に入っていました。そして、キキも私も進み続けています。影絵のようにちらつく少女たちが、悪夢のように感じられてきました。いつのまにか、サリの姿が見えなくなりました。

彼女はついに、五度目の「振り出し」に当たってしまったのです。

少女たちがひそひそと噂しあいます。

なんでも、五度目の「振り出し」に当たると、この町から追い出されてしまうのだそうです。

不運なのか？　幸運なのか？

「——幸運さ。あたしたちに比べれば」

隣でキキが呟いていました。まるで心を読まれたようだったので、思わず彼女を見てしまいました。けれど、キキは私には気付いていない、いえ、もう周りのことなど目に入っていない様子です。

「いや、ある意味ではあの子も不運なのかもしれない。五回も『振り出し』に当たるなんて、それはそれですごい偶然だ。あの子はこれから墓所に入り、『姉妹』になる――」

キキはぶつぶつと呟きながら、妙な歩き方をしていなくなりました。

「上がり」のお城がすぐそこまで近づいてきました。

神聖な、静謐(せいひつ)な空気の漂うお城が、手で届きそうなところに。

回廊の外にもモクセイが植えられ、柔らかで気持ちのいい香りが部屋にも漂ってきます。

今日の部屋は、私一人でした。

一日沐浴(もくよく)をして、身体を清めるのがここのおつとめです。

私よりふたつ前の部屋にキキがいるのが分かっていました。

「上がり」のお城まで、あと僅かしか部屋がないのは見当がついていました。

お城との距離からいっても、どう見てもあと五つくらいしか部屋がありません。

私もキキも、明日には「上がる」可能性があるということです。

キキの目は虚ろで、もはや、誰が話し掛けても反応しません。私も、日に日に胸にどす黒い不安が増すばかりです。

不運なのか？　幸運なのか？

自分に問い掛けてみても、周りの少女たちに尋ねてみたくても、誰も答えてはくれません。「姉妹」に話し掛けることは禁じられています。ただじりじりと「上がり」を待つだけなのです。

夕暮れの鐘が、弔いのように響いてきました。

私はのろのろと顔を上げ、その鐘の響きを聞きました。

きっと私と同じような表情で、キキもこの鐘を聞いているはずです。いえ、もしかするとこの鐘の音も聞こえないかもしれません。

ぞろぞろと少女たちが広場に集まってきます。

いつのまにか、私は全身が心臓の音で揺すぶられています。

お告げを待つ間も、心臓は口から飛び出してきてしまいそうにどくどく鳴っていました。

逆光の中、「三人姉妹」が高らかに宣言しました。

「本日、『上がり』の者が出ました」

わあっという歓声。

勝ち誇ったような「三人姉妹」の顔。その笑みが、どこか残酷に歪(ゆが)んでいるように見えるのは夕暮れの光のせいでしょうか。

キキだ。きっと、キキに違いない。

私はそう直感しました。

歓声が、ざわざわとしたどよめきに変わるのはすぐでした。

「あれ」

「誰か鐘楼に登ってる」

「まあ、不遜(ふそん)な」

「誰かしら」

鐘楼の外の梯子(はしご)を凄い勢いで登っていくひとつの影があります。

夕陽に輝く、赤い髪。

「キキだ」

「キキだわ」

「三人姉妹」が騒ぎ出しました。登ってくるキキを追い返そうと、拳を振り回して叫んでいます。しかし、キキは凄い勢いで梯子を登り続け、「三人姉妹」たちのいるところも過ぎて、鐘楼のてっぺんまで登ってしまいました。

一瞬、キキは虚ろな目で空を見上げました。

そして、次の瞬間、手を広げ、ふわりと空中に身を投げ出したのです。

悲鳴が広場に満ち、少女たちは目を塞ぎました。

恐怖に満ちた叫び声と、「姉妹」たちが右往左往する声が私を包みます。

その中で、私は誰かの宣言する声を聞いたような気がしました。

「『上がった』のは、シリ村のア――」

いのちのパレード

The Grand Parade

歩いてくる。

みんな一斉に、こっちに向かって歩いてくる。

すごい眺めじゃないか。この世に暮らす、ありとあらゆる動物たちが歩いてくる。なんとまあ、けたたましく、賑やかで、生臭いことだろう。砂埃が上がっている。時折、咆哮が響きわたる。地平線が真っ暗になっているのは、鳥の群れが空を覆っているせいだ。

知っている、あの鳥。図書館の大きな本で見た。百科事典の一項目。かつては空を真っ暗にし、数時間も途切れることがなかったという億単位のリョコウバト。羽根や肉を目当てに凄まじい乱獲が行われ、二十世紀はじめ、動物園にひと組のつがいを最後に姿を消した鳥。

象が吠えている。

聞いたことがないくらい、猛々しく。宣戦布告だろうか、誰かを呼んでいるのだろうか。向こうに、彼らの大きな群れが見える。小山のような背中が数えきれないくらい、薄明の平原で動いている。子象たちも、必死に親についていく。

いろいろな種類の象がいる。サバンナに住む大型のもの、森に住む小型のもの、陽気な連中、大人しい連中。

歩いている。

みんな、歩いている。

スピードはそんなに速くはない。

アンダンテ、といったところか。モデラートとアダージョの間。文字通り、「歩くくらいの速度」だ。かといって、のろのろしている感じではない。確実に、エネルギーを無駄にすることなく歩いている。

空が広い。

山は見えない。どこまでも地平線。その地平線を、生き物の群れが埋めている。ところどころにぽっかりと隙間があるが、それも時間が経つにつれ埋まっていく。

空は、ほのかな紅の色だ。とても奇妙な色。夜明けだろうか、黄昏どきだろうか。

歩いている。

みんな歩いている。

たちのぼる陽炎。生命活動が、みんなの身体の中の燃焼機関が熱を発し、汗腺から、口の中から、湯気となって空中に放出されている。むんむんたる熱気、馥郁たる体臭でむせかえるようだ。生臭く、それでいて官能的で甘美な。そういえば、彼らの香りが香水として珍重された時代もあったっけ。

押すな押すなの大渋滞だが、流れは動いているし、混乱はない。

見渡す限り、動物たちが地表を埋め尽くしている。

ところどころに灌木や葉のない木がぽつんと立っているが、まるでそちらの木のほうが動いているかのように見える。それほど、周りの動物たちが同じスピードで同じ方向に進んでいるのだ。

不意に空が明るくなった。リョコウバトの群れが去り、今度は華やかなピンク色に染まっている。

フラミンゴが飛んでいるのだ。

身体の大きなフラミンゴが羽ばたいているところは、ピンク色の光が点滅しているようだ。

隣にはカモメの群れが続き、白い羽根の色が空を明るくする。

不穏な振動を感じた。

何だろう、これは。

ズシンズシンという地響き。

重なりあい、不気味に遠くから響いてくる。

誰の足音だろう。

遥か彼方、うっすらと巨大な影が浮かぶ。ひとつではない。大勢いる。ゆらゆらと蠢く不気味な影。

先触れは、金属的な鳴き声だった。

空を横切る、特徴ある形。

翼ある竜だ。

鋭角的に宙を切り裂く、黒い影。ヒュッ、ヒュッ、と縦横に弧を描く。

その翼ある竜を先導に、地響きを立ててやってくる者たち。

砂埃のせいなのか、もやなのか、紗が掛かったような風景の向こうに何かがいる。

ぼんやりと、もやの向こうで赤い目が光る。

薄闇の中でもその目はらんらんと輝き、小岩のような尖った歯が暗褐色の口腔の中に覗く。

ティラノサウルス。

大きい。

見上げるような、滅びの塔のような大きさ。

そんな恐竜が大挙してやってくる。ずしり、ずしりと足音が少しずつずれて漣のように響きわたる。

圧巻だ。他にもたくさんの恐竜がいる。角のあるもの、頭の回りに飾りのあるもの、ダチョウみたいに地上をちょこまか走るやつもいる。まるで図鑑を広げたみたいだ。いろいろな時代の恐竜を、むりやり見開きのページにまとめたのと同じ光景が目の前に繰り広げられている。

突然、ティラノサウルスが吠えた。

吠えたなんていうものじゃない。空気が震え、あらゆる空間が振動に埋め尽くされ、世界から音が消えた。音が振動だということを思い知らされる。振動の波がぶつかり、跳ね返り、宙に渦巻いているのが見えるようだ。かつて、彼らが口から火を噴いたように戯画化されていたのは正しい。あの絵を描いた者は、本物のティラノサウルスを見たことがあったのだろうか。

すべての音が大咆哮に掻き消されると、色まで消えた。地表を埋め尽くす生き物たちが白黒の影となって、無音の大画面の中を移動している。

それにしても、身も凍るようなティラノサウルスの声に包まれているのに、他の動物たちが動揺する気配はない。全く耳に入っていないかのようだ。もし音が聞こえていなくとも、この激しい震動、超音波のような音圧は感じているはずなのに。

むしろ、彼らは何かに心を奪われていて、それどころではないという様子だ。

彼らは歩き続けている。

移動のスピードは変わらない。

アンダンテ。

歩くような速度。

どこか確信に満ちた様子で、誰もがいっしんに同じ方向目指して進んでいる。揺るぎない意志があまねく地表を覆っている。

彼らはひとつだった。ひとつの意志が、大きな共同体の意志が、彼らを突き動かしているのだ。

いきなりふわりと風景が軽くなった。

ティラノサウルスが吠えるのをやめたのだ。

一瞬の静寂ののち、音が、色彩が、戻ってくる。

鳥の鳴き声、呼吸の音、多種多彩な足音、風を切る羽根や尻尾の音。

歩いている。

みんな歩いている。

空を埋める鳥の群れ。整然と並んでいるものや、無造作に群れているもの、悠然と飛ぶ鷲や鷹などの猛禽類。

鳥たちの影が、地上を進む牛や馬の群れの上をまだらに動いていく。

命ある者には影がある。命が、影が、移動していく。

このスピードで進めない者たちはどうしているのだろうか。

が、よく見ると、ヘラジカの背にはオポッサムがつかまっているし、象の背中にはナマケモノやネズミがしがみついている。あらゆる生き物、と感じたのは間違いではないらしい。

大きな黒豹の上には、ドードー鳥がいた。

飛べない鳥、滑稽でぽっちゃりした、ハト目の鳥。マダガスカルの小さな島に住んでいたが、逃げもせず、きょとんとしているうちに航海中の食糧として人間たちにあっけなく殴り殺され、あっというまに絶滅した。

標本もなく、本の挿絵でしか残っていないはずの鳥。

だが、目の前で、つがいのドードー鳥は、相変わらずきょとんとした眼で黒豹の上に揺られていた。大きく揺さぶられると、危なっかしい。落ちるのではないかと見ているほうがハラハラする。

やがて、ドードー鳥もインパラの群れの向こうに見えなくなった。

赤い竜巻（たつまき）のようなものがところどころに起きている。

いや、よく見ると、それは蝶の塊だ。

赤と黒とオレンジが混ざった、小さな蝶がいっぱい。

海を越えて渡りをし、暖かい森で越冬する蝶の群れだ。

この蝶たちは、今はどこを目指しているのだろう。

越冬地なのか、この先にあるものは。

ふわふわと白いものが漂う。

タンポポの種。

無数の白い綿毛が、あるかなきかの風に乗り、動物たちと一緒に進んでいる。

モーターのような振動音が聞こえるのは、昆虫たちだ。

蜂にカナブン、ぐるぐる回りながら進む甲虫。黒い霧のように見える塊が、動物たちの頭上や身体の間をせわしなく行き交う。

それにしても、彼らは大移動ということだけが念頭にあって、ふだんの食物連鎖などどこかに置いてきたかのように見える。

草食動物も、肉食動物も、ぴったりと並んで前を見つめている。いつしか、他の恐竜たちも静かになった。足元を埋める、ふだんなら餌でしかない小動物の群れに目もくれず、地響きを立てて前へと進む。

不思議な光景だ。

食らい、食われる関係を超え、円環を描く連鎖から逃れ、彼らは今一本の線となって広大な地平を移動しているのだ。

美しいのか、恐ろしいのか。いったい彼らはどこに向かっているのだろう。

空に、キラキラ光るものが見えた。

また新たな鳥たち。

羽根を動かす度に不思議な色に輝く、極楽鳥の群れだ。

この世ならぬ景色。こんなにもたくさんの極楽鳥が、一斉に空を羽ばたいているところなど、めったに見られるものではない。

他にも、あらゆる美しい鳥たちが大挙して空をゆく。

孔雀(くじゃく)、丹頂、ニッポニア・ニッポン。

無数の十字架のような鶴(つる)の列。

飛んでいく。広い空を。

俄に空が暗くなった。

どす黒い雲がみるみるうちに広がり、膨らみ、空を埋めていく。

稲光。

少し置いて、腹に響くような雷鳴が地に満ちる。

雷を嫌うはずの動物たちは、やはり平然として歩みを止めることはない。暴れたり、パニックを起こしたりもしない。

閃光(せんこう)が地上を白黒の世界に染める。

影絵のように、いろいろな形の影のアンダンテの歩行は続いている。

フラッシュのような稲光が次々と空を切り裂き、花火の爆発のような雷鳴がおどろおどろしく空に鳴り響く。

ポツポツと雨が落ち始めた。

たちまちザアザアと降るようになり、景色も見えないような大雨になる。辺りは真っ暗だ。それでも、濁った絵の中を動物たちが黙々と動いている。もはや、誰も彼らを止めることはできない。

水が上がってきた。

波のように、ひたひたと水が押し寄せてくる。

しかし、動揺はない。いっしんに水の中を動物たちは進む。

雨音は波音に変わり、潮騒がうねりながら世界に満ちてくる。水しぶきが、波の花が、スローモーションのように宙を舞う。

そこここで跳ねる影。

魚たちだ。

トビウオにカツオ、小さなエビもぴんぴんと跳ねている。

競うように波の上を跳ねてスピードを上げているのはイルカの家族だ。時折笑い声を上げ、他の魚をからかうように飛び跳ねる。

ゆったりと水面下を進む人影のように見えるのはジュゴン。

白い影は、巨体を浮かべてゆうゆうと泳いできたホッキョクグマだ。

ホッキョクグマの間を縫うように自在に泳ぐのは皇帝ペンギン。海の中では、空を飛ぶ鳥のよう。

ずずっと海が動いた。

そう形容するしかない、巨大な影の気配がやってくる。

ビシュ、と水煙が上がり、空高く噴き上げられる。

クジラがやってきたのだ。

空母のようにせり出した身体が、圧倒的な存在感ごと移動してくる。

毎日数トンの食事をしなければならないはずのクジラも、今日は食べ物のことなどどうでもいいらしい。

海を行くタンカーのように、巨大な壁が波を分けてまっすぐに泳いでいく。

広い背中には、たくさんのアザラシやペンギン、ホッキョクグマの子供が乗っている。大人しくクジラに運命を委ねているようだ。

波に色とりどりの水玉がパッと広がる。

クラゲ、エビ、サンゴの卵、プランクトン。

波に咲いた花のようにゆらゆらと上へ下へと浮き沈み、クジラたちを追うように通り過ぎていく。

からみあう紐を見た、と思ったら、それは蛇だった。

器用に身体をくねらせて、数えきれない仲間たちと一緒に海を渡っていく。雨に荒れ、恐ろしげな響きでどーんどーんとうねっていた潮騒が少しずつ遠ざかり始めた。

クジラに乗った白い影がみるみるうちに小さな点になる。

波の上を飛ぶイルカたちも、宙をひっかく弧になった。

地面から波が引いていく。

海が、波が、水が引いていく。

どんどん動物たちが遠ざかる。

海は、地平線まで離れていった。水の下から、乾いてごつごつした土地が現れる。

僅かな草が、やっとのことでそこここに貼りついている岩場のような土地だ。

獣たちの声が消え、代わりに風の音が聞こえてきた。

砂混じりの、冷たい風。

ごうごうという音が辺りに満ち、時折コンドルやハゲタカが思い出したように飛んでゆく。

白っぽい塊は、イナゴや蛾(が)がもつれあうように移動していくところだ。あまり力がなく、めちゃめちゃなジグザグを描き、なんとか離れずに動いていく。

地面の上で動いているのは、カメやワニや黒っぽい甲虫だ。

進むのは決して速くないけれども、じりじりと地平線目指し、やがて姿が見えなくなった。


いよいよ風は強くなり、少しずつ景色が見えにくくなってきた。

さっきのように天気が悪くなったのではなく、どうやら日が暮れてきたようだ。

心細いような心地になる。あんなに大勢の動物たちが湯気を上げて地表を埋めていたのが嘘のようだ。

彼らの声が恋しい。風の音はあまりにも淋しく、寒々とした気持ちにさせるだけだ。

視界の隅に動くものがあった。

慌ててその影に注目する。

見覚えのある影。

ざっざっという、聞いたことのある足音。

二足歩行のアンダンテ。

人間だ。

四、五人の人間が薄暗い地面を歩いてくる。

少し前屈(かが)みで、額が張り出している。身体はそんなに大きくはないが、がっちりとした骨格はよく日焼けして逞しい。

女もいるようだ。胸に小さな赤ん坊を抱いている。

あっ、と思った。

ネアンデルタール人――

彼らもまた、いっしんに前を見つめていた。

脇目もふらず、確信に満ちた視線で一歩一歩進んでいる。

どこに向かうのか。

何が彼らを突き動かしているのか。

「どこに行くの」

私はそう尋ねていた。

先頭を歩く男は「おや」という顔をして、左右を見た。どうやら、私の声が聞こえたらしいのだが、私の姿は見えないようだ。

「君たちはどこに行くの」

もう一度尋ねる。

男は再びきょろきょろと周囲を見回したが、足を止めることはなかった。

「誰だ」

男は冷静な口調で聞き返した。私の声は聞こえるが、姿は見えないということを受け入れている様子である。

「君たちの仲間だ。もしかすると、子孫なのかもしれない」

「そうか」

男は頷くと、また前方に視線を据えた。

「どこに行く？」

「分からない」

男は言葉少なに答えた。

私は重ねて尋ねた。

「動物たちも、さっき、先に行った。海の生き物も、行った。みんな同じところを目指しているみたいだった」

「ああ、私たちは、たぶんいちばん最後なのだ。いろいろ片づけることがあったから」

男は大きく頷いた。

「どこへ？」

私はしつこく尋ねる。

男は初めて首をかしげた。

「さあね。どこへ行くのかは、私たちには分からない」

ざっざっ、というためらいのない足音が響く。

男の後ろを歩いている者たちは、男が誰かと話していることなど気にも留めていないようだ。

私はじれったくなった。

「分からないのに、進んでいるのか。そのことが不安じゃないのか」

男は不思議そうな顔をして、見えないはずの私の顔を見ようとした。

「そんなことは私たちが決めることではない」

「でも、現にどこかに向かって歩いているではないか。何か目標を持っているんじゃないのか」

男は左右にきっぱりと首を振った。

「もう私たちがここですべきことは終わったのだ」

「どうしてそんなことが分かる?」

男は首をすくめた。

「さあ。そんな気がしたのだ。だから、私たちは次のところに行かなければならない」

「いったい誰の指示で?」

「そんなことは知らないし、どうでもいい。動物たちは、私たちよりももっと早く役目が終わったから、私たちより先に出かけたのだ。私たちは最後だ。さあ、私たちも急がなければならない。ただでさえずいぶん遅れてしまっているから。もう、いいか?」

男は話を終わらせるように小さく溜息をつくと、足を速めた。

私はそれ以上声を掛けることができず、口をつぐんだ。

男は、再びまっすぐに前を向き、力強い歩みで後ろの者たちを導いていく。

足音が遠ざかる。その後ろ姿をじっと見送っていたが、やがて彼らも地平線に小さな点となって消えた。

もはや、地表に生き物の姿はなかった。

いつのまにか、辺りは砂漠になっていた。植物もなく、砂だけがさわさわと流れている。灰色の地面を、風だけが渡ってゆく。

遠い風の音。

静寂。

空はいよいよ暗くなってきた。地平線に滲んでいた赤紫のかすかな光も、もうすぐ消えようとしている。

そして、私たちは取り残された。

彼らはゆき、私たちは彼らの円環からも、一直線のパレードからも取り残され、今もこの場所にとどまっている。

私たちの真の孤独は、これからだ。

夜想曲

Voices

夜はまだ浅く、闇もまだ淡い。

賑やかではあるが、心休まる虫の声が響き、夏に向けて着々と葉を繁らせる木々の甘い香りがゆったりと空間を満たしている。

住宅街の一角。大きな古めかしい屋敷と広い庭。一見伸び放題に見える庭だが、よく見ると並々ならぬ計算の上に造られた、興趣溢れる庭であることが窺える。

屋敷は静まりかえり、ほとんどの窓は真っ暗だが、一階の隅の何ヶ所かに明かりが見える。

そのうちのひとつ、天井近くまで大きく採られ、観音開きになった窓のひとつが開いている。

精緻な模様の入ったレースのカーテンが揺れ、薄暗い部屋の奥にふわりと風を送る。

部屋の中は無人で、濃密な沈黙が支配している。

天井まで続く造り付けの本棚には、部屋の主（あるじ）の思考の軌跡が詰め込まれていた。読み込まれた古典、古今東西の思想書、偉大なる先達の詩歌。それらが整然と並べられ、緊張感のあるリズムを作っている。

磨き込まれたキャビネットの上にはレコードプレーヤーが置かれ、キャビネットの硝子（ガラス）戸の向こうに、ぎっしりと詰め込まれたLPレコードが見える。どうやら、主はかなりの音楽好きであるようだ。

窓の前には、一枚板の立派な天板を据えた大きな書きもの机。

主はこの前で少なからぬ歳月を費やしたのであろう、腰を下ろした時に手首と肘（ひじ）が当たる部分が丸く磨（す）り減って、そこだけ艶々（つやつや）している。

机の上には小さなブックエンドに挟まれ、これまた使いこまれた何種類もの辞書が並んでいる。

机の真ん中には、束になった原稿用紙が積まれている。その上に、梟（ふくろう）のオブジェを付けた文鎮（ぶんちん）が載り、原稿用紙の端が、時折風にふわりと持ち上がる。

革のペン皿には、美しい万年筆や、削った鉛筆がきちんと並べてあった。丁寧に使われてきた万年筆も、主の手垢で模様がかすれている。

革張りの椅子も、歳月に耐えた様子が窺えた。ビロードのクッションはすっかりぺしゃんこになっており、表面は擦り切れている。椅子の背には、よれよれになった膝掛けと、細かい唐草模様のちりばめられた赤いガウンが掛けられている。ガウンのデザインや着丈(きたけ)から見るに、持ち主は高齢の男性のようだ。

どう?

突然、声にならない声が響いた。衣(きぬ)ずれや蝶の羽ばたきにも似た、よほど神経を集中させていないと聞き逃してしまうような声。

素晴らしい。ほれぼれするような部屋じゃ。申し分ない。

ほんと、こんな完璧な部屋、いったいいつ以来だか。

他の声も響く。

でしょう？　つい昨日、偶然見つけたのよ。

最初の声が、誇らしげに続く。

やれやれ、助かった。へとへとだよ。ずっと朝から晩まで飛び回って、探し回って。

儂も些か疲弊しておるぞ。この頃の屋敷は明るすぎるか物騒かのどちらかで、なかなか気が休まらぬ。

声から察するに、三人の人格があるようだ。最初の声は若い娘、あとの二人は若い男性と年配の男性らしい。

こいつは期待できるなあ。ホンモノの匂いがするぜ。久しぶりに仕事ができると思うと腕が鳴るね。

あたし、この素敵な万年筆に座らせてもらうわ。まあ、漆塗りよ。東の国から運ばれてきたのね。

儂はこのパイプに。いい香りじゃ。海泡石（かいほうせき）の、良いのを使っとる。

俺は窓枠でいいや。風が気持ちいい晩だしよ。

初夏の花の匂いだろうか。部屋の中には、かすかに甘い香りが漂っていた。

声の主たちは、じっとその香りや、整然とした秩序に支配された部屋の気配を味わっているようである。

久しぶりだねえ、こんな感じは。

ええ。

最近じゃあ、本のある部屋自体珍しいからなあ。みんな、変な箱ばかり持っていて、ずっとあの箱ばっかり覗きこんでいる。畳めるのとか、うんとちっちゃい箱とか。

中で人が歌ったり踊ったりしていたわ。あれじゃあ、あたしたちの声なんかとても聞こえやしない。

少し前までは、飾りの本ばかりじゃった。開かれたこともない、ページがくっついたままの本をずらりと部屋に並べるのが流行のようだったからの。あれはあれで

得ん。忌々しかったが、今にして思えばまだ本が並べてあるだけマシだったと言わざるを

長持ちって？

それよりも、みんな長持ちしないのが気になるわ。

せっかくあたしたちが声を聞かせてあげても、ちっとも長続きしないというか。

ああ、そうだな。

いっとき、フランスやアメリカでは、声を聞かせてあげた人たちが次々と自殺しちゃって。まだロクに作品も残していなかったっていうのに。

儂らの存在を信じきれなかったんだろうよ。

でも、かつては最初に声を掛ければ、あとは自分の中の声を見つけて、どんどんひとりでやっていける者たちばかりだったのに。

昔は呼ばれていったものなんだがの。そもそも、儂らは呼び出されたからこそ存在しているのだ。それが、今じゃすっかり本末転倒じゃ。

どうなるんだろ、俺たちは？　このまま誰にも必要とされず、呼ばれもしないし、こちらから声を掛けても気付いてもらえないとなったら？

儂らはもう、存在としては終わりなのかもしれん。

そうなのかなあ。

一瞬、気まずい沈黙が降りた。

が、とりなすように明るい声が響く。

この部屋なら、だいじょうぶよ。これだけの蔵書を持って、読みこなしているのならば、あたしたちの贈り物を受けるのにきっとふさわしいはず。

楽しみだなあ。早く来ねえかなあ。どんな奴なんだろう。

きっと、堂々とした、思慮深い素敵な紳士じゃないかしら。

おお、誰か来る。

廊下から足音が聞こえてくる。

部屋の前で止まり、ドアが開いた。

が、入ってきたのは優しげな顔をした青年で、盆を手に持っている。そこには、湯気の立った紅茶と、琥珀色(こはくいろ)の酒の入ったグラスが載っていた。

青年はキャビネットの前のコーヒーテーブルに盆を載せ、グラスを書きもの机の上にそっと置き、キャビネットの中から一枚のレコードを選びだすと、そっとレコードプレーヤーに載せ、針を置いた。

シューベルトの歌曲が流れ出す。

おい、まさか、こいつなのか？

ずいぶん若いのお。意外じゃ。

この部屋の持ち主には見えないけれど。

当惑した声が囁き合う。

青年はびくっとし、きょろきょろと部屋の中を見回した。

が、首をひねり、物憂げな表情でコーヒーテーブルの前の小さな椅子にそっと腰かけた。紅茶のカップには手を出そうとせず、じっと書きもの机の上のグラスを見つめている。

違うな。こいつはこの部屋の持ち主じゃない。

うん。この青年は、この部屋の主を待っておるのだ。恐らくは、主のお付きの者か何かじゃな。

息子とか？

いや、違うな。

なんだかとても淋しそうな顔をしてるのね。

三人は、部屋の主が来るのを期待に胸を躍らせながら更に待った。

青年は、椅子に腰かけたまま動こうとしない。

じりじりと時間が過ぎ、お茶が冷め、レコードが一枚終わった。

しかし、誰も現れない。

青年は小さく溜息をつくと、静かに立ちあがってそっとレコードを元に戻した。

暗い目をしてのろのろと書きもの机のところに行き、グラスを見つめていたが、

やがて目を潤ませ、「旦那(だんな)さま」とぽつりと呟き、涙を拭うとグラスを盆に載せ、

立ち去ろうとする。

どういうことじゃ？

なんで誰も来ないんだ？

不思議ね。

青年は、今度こそぴくっと肩を震わせ、部屋の中を見回した。

「誰だ？　誰かいるのか？」

こいつ、俺たちの声が聞こえてるぜ。

久しぶりじゃ。

あらまあ。

「誰だ？　姿を現せ」

青年が鋭い声で叫ぶ。

ええと、その、たぶん、見えないと思うぜ。俺たちの姿は、声を聞いた奴が勝手に作り出すものだから。

儂らには、いわゆる実体というものはないのじゃ。

好きに想像していただいて結構よ。

「実体がない？　好きに想像する？　君たちは何者だ？」

青年は怪訝そうな顔で、それでも見えるものを探すようにきょろきょろと天井を見上げている。

まあ、俺たちはその、いろいろな名前で呼ばれてきたがね。インスピレーションとか、ギフトとか、アイデアとか。

あたしはいろいろな女神の形で描かれてきたわ。詩神とかミューズとかね。

啓示、霊感、天啓。儂らのことを、訪れるとか、降ってくるとか、人間たちはいろいろな表現をしておったな。

「つまり——君たちは、人間に芸術表現のきっかけを与えてきた存在ということなのか？」

おお、まさにその通りじゃ。

やけに物分かりがいいな、こいつ。これもまた珍しい。大抵の奴は、声が聞こえたことを否定したり、混乱したり、興奮したり、大騒ぎしたりするもんなのに。そうじゃな。しかも、こうズバリと本質を言い当てているのもまれなケースだ。この若さで、こやつはたいしたものじゃ。

ずいぶん老成してんなあ。今どき。

ちょっと待って。なんだか、あの言い方、気になるわ。なんだかおかしいわ。テーブルの輪じみ――そこだけ模様になってる――寸分違わぬところにグラスを置いてるのよ――ひょっとしてこの人は――

確かに。おい、こいつ――こいつは――

おお、まさか。驚いた。この青年は、人間じゃないぞ。

「いかにも、私は人間ではない。ロボットだ。旦那さまに――いや、この家に仕えてかれこれ三十年になる」

青年は平然と頷いた。

驚きの声が一斉に上がる。

とてもそうは思えないわ。どう見ても人間なのに。

さっき涙を流しておったではないか。あの表情、動き、人間そのものじゃ。なあ、その旦那さまとやらはどこにいるんだ?

青年は顔を曇らせた。

「旦那さまは、もうおられない。十二年前に亡くなられた。偉大な歴史学者で、人望厚く、立派な方であられたのに。私は書生ロボットとして、先生の仕事のお手伝いと、話し相手として雇われたのだ。私にとっては、父であり、師であった。私の全てだった」

青年は、そっと窓の外に遠い目を向けた。

「旦那さまがいなくなっても、私は旦那さまの生前の習慣を変えることができない。旦那さまは夜寝る前にレコードを一枚かけるあいだ、私を呼んでくださった。私はお茶を、旦那さまはウイスキーを一杯飲みながらおしゃべりをする習慣だった。この部屋も、レコードも、私も、何もかも旦那さまがいらした時のままなのに、旦那さまだけがいない。私はそのことに未だに慣れることができない」

ふと、三人にはかつての光景が見えたような気がした。

静かな夜、ゆったりと流れる音楽。椅子に腰かけた老学者と書生が、一日の終わりに和やかに語り合い、グラスやカップを傾ける姿が。二人のあいだに漂う、親密で知的な空気が。

「旦那さまは奥さまとお子さまを若い頃に亡くしてしまわれ、それから新しい家族を持とうとはなさらなかった。私が旦那さまを看取(みと)ったのだ。旦那さまは、私を息子のように思っていてくださった。この家を私に残し、人文科学を学ぶ若者を住まわせ、私が彼らとこの家を守っていくようにはからってくださったのだ」

じゃあ、この屋敷には他にも人が住んでいるの?

青年はゆるゆると首を振った。

「いや。今は誰も住んでいない。旦那さまの定めた審査に合格する若者がいなくて。孤独に耐えて、思索を続けられる子が見つからない。才能のある子は、企業がカネで買い、とことん働かされて使い捨てにされてしまう。いっときはかなりの人数がここに住んでいたが、去年の春に一人巣立っていったのが最後で、今はこの屋敷にいるのは私だけだ」

あなたはひとりぼっちなのね。

「ああ。旦那さまの思い出と一緒にね。私は歳を取らないし、壊れない。旦那さまの遺言がある限り、ここで暮らし続けるだろう」

そうか。

そうなのか。

がっかりした声が響き、小さな溜息が聞こえた。

「せっかく訪ねてきてくれたのに済まない。他を当たってくれないか。君たちを必要としている人のところを」

残念だなあ。あんたの旦那さまに会ってみたかったな。

もう少し、ここにいていいかのう。あちこち飛び回って疲れた。この部屋はとても居心地がよいし。

「どうぞどうぞ。私も久しぶりに誰かと話ができて嬉しい。旦那さまがいてくださったら、さぞかし君たちの訪問を喜ばれたと思う。旦那さまは、小説を書きたがっておられた」

へえ、そうなの？

「ああ。ずっと歴史の本ばかり書いておられたが、若い頃は文学に親しみ、詩歌や小説に夢中で、本当は文学をやりたいと思っていたと。そろそろ、自分の楽しみのために小説を書いてみようかとおっしゃっていた矢先に、急に具合が悪くなって」

青年は、そっと目を伏せた。

まあ、ほんと、残念だわ。あたしたち、遅すぎたのね。

うむ。皆、先に逝ってしまうんじゃのう。これだけの蔵書、懐かしいの。儂らがかつて会った者たちがたくさんおる。

なあ、あんた、ひとつ聞いていいかい？

「なんなりと」

この屋敷で学ぶ奴は、誰が審査してたんだい？

「私だ」

あなたが？

もしかして、あんた、ここにある本、みんな読んでるの？

「もちろんだ。私は旦那さまからいろいろ教わったし、書生を選ぶ基準は厳密に決められている。旦那さまの基準は守らなくては。最低限の知識と、努力を厭（いと）わない謙虚な人格と、ひらめきがなくては駄目だと念を押されている」

何を考えているの？

いや、ちょっとね——ふうん、きっと、そうなんだ。

しばし、沈黙があった。痺れを切らしたような声がする。

何がきっとそうなのだ？

じらさないで。

そもそも、俺たちの声が聞こえたってところに注目すべきだったんだ。

青年は肩をすくめた。

「驚くにはあたらない。私の五感は、人間よりも鋭く設定されているのだ」

俺たちの姿は人間たちが作り上げたと言ったろ。俺たちの声を聞いた者が勝手に想像したと。本をただせば、この声だってそうなんだ。

「本をただせば？」

うん。この声を聞けるのは、俺たちの存在を必要とする奴だけで、そいつの隣にそうじゃない奴がいても、そいつには聞こえない。それが、俺たちの俺たちたるゆえんなんだ。俺たちの声を聞いた奴が、気が変になったんじゃないかとか、病気なのではないかと言われて混乱したり差別されたりするさまをさんざん見てきたもんさ。

「じゃあ、なぜ私には君たちの声が聞こえるんだ？　人間でもないのに」

そこさ。今、そこについて考えているんだ。

ねえ、ひょっとして——そうなの？　あなた、あたしと同じことを考えているのかしら？

儂もじゃ。もしかすると、人間たちには、もう——

そう。もう、あいつらには俺たちの声が聞こえない。俺たちを必要としていない。

ああ、なんてこと！

儂らは消えるのか？

違う。今度は、こいつらが俺たちの声を聞くんだ。

このひとが？

そう。機械でできた、こいつらの種族が、さ。

青年は仰天し、次にあきれた。

「私が？　私はロボットだぞ。私には芸術活動なぞ無理だ。ただの複雑なプログラムの集大成に過ぎない。毎日テーブルの同じ場所にグラスを置くことはできても、何かを造り出すことなど」

そうかな？　人間だって、非常に複雑なプログラムが進化して、脳の電気活動の結果が知能となっていったんだぞ。それとどこが違う？　君は多くの知識を得て、比較検討して、若者たちを審査することができる。それは考えているということなんじゃないのか？　生産活動をしていると？

「違う。これは単に私に組み込まれたプログラムが作動しているに過ぎない。私はただのロボットだ。書生として造られたロボットだ」

でも、あたしたちの声が聞こえた。

うむ。事実、儂らはここにやってきた。恐らくは、必然性があったがゆえに。

「まさか——まさか、私はどこか壊れているのでは？　プログラムにバグを起こして、こんな声を聞いているのではあるまいな？」

おやおや、人間のような反応をするな。さっきはあれほど冷静な判断をしたのに、混乱してやがる。

だいじょうぶ、心配しないで。あなたは選ばれたのよ。あたしたちがちゃんと教えてあげる。不安がることはないわ。大昔から、ずっとずっと昔から、みんな、あなたのような不安を乗り越えてきたのよ。

「おお、これは悪夢だ。何か操作を誤って、間違った夢を見てるんだ」

ほほう、夢まで見る。これはますますたのもしいね。

さあ、そこに座るのじゃ。違う、その小さな椅子じゃない。おぬしが座るのは、その窓の前にある、大きな書きもの机の前。そこに、原稿用紙がある。

青年は、おどおどと辺りを見回していたが、やがてガウンと膝掛けの掛かった椅子に目の焦点を合わせ、ごくりと唾（つば）を呑みこんだ。

さあ、そこに掛けるのよ。今日からそこがあなたの席。

「旦那さま」

青年は、一瞬天を仰ぎ、不安そうな目をしたが、そっと手を組み、蒼（あお）ざめたままそろそろと椅子に向かって歩き出した。

椅子の上のガウンを撫で、つかのま躊躇（ちゅうちょ）したが、ゆっくりと椅子を引いて静かに腰かける。

さあ、万年筆を取って。

鉛筆でもいい。

文鎮をよけて。

青年は言われるままに鉛筆を取り上げ、文鎮を紙の上から下ろした。

ふわりと風が吹き込み、原稿用紙が持ち上がるのを反射的に押さえる。

ふと、ハッとした表情になり、恐怖に満ちた目で天井を見上げる。

わなわなと身体が震える。

「何を——何を？」

思い出すだけでいい。

静かな声が言った。今や、三人の声は重なり合い、ひとつの声となっていた。その声は、もはや青年の中にあった。青年の頭の、集積回路の中に、直接響き渡っていた。

おまえにはこれまで過ごしてきた歳月がある。書生ロボットとして生まれた瞬間。人生の師と仰ぐ大事な人との出会い。日々の生活で交わされた言葉。頬に感じた風と光、春の匂いや夏のきらめき、移りゆく時間。それを思い出し、紙の上に写しとっていくだけでいいのだ。

震える指が、紙の上で鉛筆をゆっくりと滑らせる。
そして、青年は、新しい生命体として新しい一ページを書き始めた。
遥かな昔から続く、存在の内側と外側からやってくる真の霊感に導かれて。

あとがき

最近、めでたく新編集で復刊された、早川書房の異色作家短篇集は、いろいろな作家に大きな影響を与えたが、私もその一人だった。

あの黒い表紙、強烈な帯コピー、シンプルかつ洗練されたデザイン。手に取った時の、嬉しいような怖いようなおののきを今でも覚えている。シャーリイ・ジャクスン、ロバート・シェクリイ、ジャック・フィニイ、チャールズ・ボーモント、ジョン・コリア。かつて「幻想と怪奇」というジャンルのくくりでおなじみであった、奇妙でイマジネーション豊かな短編群には、今なお影響を受け続けている。

あの異色作家短篇集のような無国籍で不思議な短編集を作りたい、という思いつきから「奇想短編シリーズ」と銘打って三ヶ月に一回ずつ、「Jノベル」という雑誌に連載をさせてもらった。短編が苦手で原稿が遅い私には、非常に苦しい連載だったいっぽう、たいへん勉強になった。いかにあの全集の先達がクレイジーで偉大であるか、つくづく思い知らされたのである。とにかく丸三年半のあいだ、毎回おのれの想像力の貧困さに打ちのめされ続けた。

それでも、続けていけばいつか終わりはやってくる。この度、書きおろし一編を加え、なんとか一冊の本にまとめることができて、つくづく嬉しい。書き始めた時から、まとめることを念頭に置いていたので、発表順になっている。

いつも原稿が遅くて皺寄せがいってしまい、ご迷惑をおかけしたイラストレーターの上田朱さん、同じく多大な迷惑を蒙りながらも辛抱強く原稿を待ってくださった実業之日本社の高中佳代子さんと越智元さんにお詫びと御礼を併せて申し上げる次第である。

また、本にまとめるにあたって各タイトルを「なるほど！」というタイトルに英訳してくださった柿沼瑛子さんとシックな装丁をしてくださった大路浩実さんにも深く御礼申し上げます。

（追記：二〇二三年の新装版のデザインを担当してくださった坂野公一さんにも深く御礼申し上げます）。

表紙の写真は、三年ほど前にチェコ共和国に行った時に、あまりに奇妙な写真ばかり載っているので反射的に買ってしまった写真集（それこそ、奇想写真集、という趣なので、この短編集にはぴったり）から選んだ。買った時は自分の本の表紙に使おうなんてさらさら考えていなかったのだから、分からないものだ。

各短編にコメントを加えようかと思ったが、この本は他の短編集のようにいろいろな媒体に書いたものを集めたわけではないので、一冊の本として読んでいただければ幸いである。

最後に、タイトルについて。

人生を振り返った時、これまでの生涯に見たパフォーマンスのベスト3に入るであろうフィリップ・ジャンティ・カンパニーの演目が「いのちのパレード」であり、連載の最後をこのタイトルの短編にすると決めていた。結局、本のタイトルにもなり、記念になってホッとしている。

二〇〇七年十月

恩田　陸

解説　パレードは世界の果てまでも

杉江松恋
（書評家）

これは世界に穿(うが)たれた穴であり、世界そのものでもある。

恩田陸『いのちのパレード』は、『月刊ジェイ・ノベル』二〇〇四年四月号から二〇〇七年七月号に発表した十四の短篇に書き下ろしの「夜想曲」を加えて成立した短篇集である。実業之日本社刊の単行本奥付では二〇〇七年十二月二十五日が初版第一刷の日付になっている。実業之日本社文庫が創刊された際、最初のラインナップに入った。こちらの奥付には二〇一〇年十月十五日初版第一刷発行とある。今回はその新装版で、内容の異同はない。

どういう短篇集か気になる方は、まず巻頭の「観光旅行」に目を通されるといい。名前が伏せられ、Wと記される村に〈私〉夫婦が行く話だ。村がどこにあるのかを隠すように深夜に運行するバスで夫妻は運ばれていく。まだ世の明けやらぬ朝靄(あさもや)の中、辿(たど)り着いた村の外れには目を疑うような奇妙なものが聳(そび)え立っていた。

続く「スペインの苔」は内容紹介に困る話だ。「彼女とスペインの苔との関わりを説明するためには、彼女のロボットのことから始める必要があるだろう」という書き出しから、延々と〈彼女〉の生い立ちが語られていく。題名が何に由来するのかがいつまでも明かされないという語り口は「風が吹いたら桶屋が儲かる」という考え落ちの小噺を連想させる。迂回の技法を読者に味わわせることが自体が目的とも言える作品なのである。イギリスあたりにこういうストレンジ・フィクションを書く作家がいそうだ。

三番目の「蝶遣いと春、そして夏」は王道の幻想小説、その次の「橋」はがらっと変わって近未来ＳＦに分類される話である。舞台は東西に分断された日本、国境と思われる川にかかる橋に武装した警備兵が配置されている。その橋を監視する任務があるらしく、若者たちが当番で詰めているのである。こう書くと緊迫した雰囲気を思い浮かべるかもしれないが、鮎子姐さん、アケミ、涼ちゃん、麻耶ちゃんといった連中の会話はごくのどかで日常的だ。何しろ「シケモク拾いも、もう飽きた」という文章で始まる物語なのだから。

この「橋」を読むと、大きな物語の序章を見せられているような印象を受けるはずである。これから何かが始まりそうな予感が漂っている。いつか何かが始まりそうだと思いながら誰もが変らない日常を過ごしている、というのはデビュー作『六番目の小夜子』（一九九二年。現・新潮文庫）以来、恩田がしばしば書く状況設定だ。

二〇一〇年版の文庫解説で、私はこんなことを書いた。若干表現を修正して、再録する。

——小説は、広大な天地時空のごく一部を切り取ってきて物語として提供する、切片の芸術である。よく出来た小説に触れるとページの向こうに、その小説が切り取ってこなかったものの影が浮かび上がることがある。実は、見えるものよりも見えないもののほうが遥(はる)かに大きい。巨大な不可視領域から小説へと供給された力が行間に満ち、今にもこの現実へ向けて溢(あふ)れだしてきそうではないか。いや、読者の方が不可視の深淵(しんえん)へ吸いこまれるのか。そうした恐怖を知ってしまうと、また次の恐怖が欲しくなり、人は小説を読み続けることになる。たとえば、恩田陸作品の中毒患者のように。

今回の再読でも、同じような感想を持った。行間からほの見える、不可視領域の巨大さに圧倒される小説。それが『いのちのパレード』という作品集である。端的な形の一つが前出の「橋」なのだ。短篇は一瞬の人生であるという。誰かの人生の、あるいはわれわれが生きるこの世界の、ごく一部を切り取る。作者が示すのは断面のみなのだが、読者はそこから覗(のぞ)き込むことで向こう側にある無限の広がりを感じとることが可能になる。

向こう側へ。自分たちがいるこちら側は限られている。だから無限に広い向こう側へ。常にそうした視線を呈示するのが恩田陸の小説である。長篇は二つに大別できる。

『ロミオとロミオは永遠に』（二〇〇二年。現・ハヤカワ文庫JA）や『蜜蜂と遠雷』（二〇一六年。現・幻冬舎文庫）のように関わるあらゆる要素をとりこむことで題材を表現し尽くそうとする作品群と、限られた視点で捉えられることだけを描いて不可視領域がいかに巨大であるかを逆説的に示そうとするものの二つだ。芥川龍之介「藪の中」のように叙述が進めば進むほど確からしさが揺らいでいく『ユージニア』（二〇〇五年。現・角川文庫）や『鈍色幻視行』（二〇二三年。集英社）のような作品は後者に属する。

『三月は深き紅の淵を』（一九九七年。現・講談社文庫）に始まる水野理瀬サーガなど、恩田作品には進展につれて世界が拡散していき、物語の蓋が閉じなくなるものが多い。すべてを描いてみせるか、すべてを描けないことを示すか。正反対のように見えるが、実は同じことを裏表の技法で表現しているのである。自分たちが見えている以上に世界は巨大である、と恩田は常に書く。

こうした長篇における恩田作品の特質が、短篇ではより端的な形で表現される。先に書いた、『いのちのパレード』に感じる恐怖の正体とはつまりそれだ。無限と対峙したときに催す感情なのだから、恐怖というよりは畏怖と呼ぶべきか。

作者「あとがき」にある通り、本書は早川書房刊の〈異色作家短篇集〉から大きな影響を受けている。早川書房から刊行が始まったのは一九六〇年、第一巻はロアルド・ダール『キス・キス』である。その後翌六一年までに、スタンリイ・エリン『特別料理』、ジャック・フィニイ『レベル3』、チャールズ・ボーモント『夜の旅その他の旅』、レイ・ブラッドベリ『メランコリイの妙薬』、ジョン・コリア『炎のなかの絵』の第一期、一九六二年から六三年にかけて、フレドリック・ブラウン『さあ、気ちがいになりなさい』、ロバート・ブロック『血は冷たく流れる』、ジェイムズ・サーバー『虹をつかむ男』、リチャード・マティスン『13のショック』、ロバート・シェクリイ『無限がいっぱい』、マルセル・エイメ『壁抜け男』の第二期、一九六四年から六五年までに、シオドア・スタージョン『一角獣・多角獣』、デュ・モーリア『破局』、レイ・ラッセル『嘲笑う男』、ジョルジュ・ランジュラン『蠅』、シャーリイ・ジャクスン『くじ』、アンソロジー『壜づめの女房』が刊行され、十八巻で完結している。二〇〇五年に『壜づめの女房』を除く全巻が新版として復活、若島正を選者とする三巻のアンソロジーが新たに付け加えられ、全二十巻になった。

　収録された中には、恩田が偏愛する作家の一人、デュ・モーリアが入っている。たとえば長篇『鈍色幻視行』の作中作を独立させる形で二〇二三年に刊行された『夜果つるところ』（集英社）は、デュ・モーリア『レベッカ』（一九三八年。新潮文庫）に重なり合う部分の多い作品である。その他、「この名前を呟くだけで、何やら甘酸っぱく切ない心地になる」（『土曜日は灰色の馬』二〇一〇年。現・ちくま文庫）と綴ったレイ・ブラッドベリ、『レベル3』新装版に解説を寄稿したジャック・フィニイなど縁のある作家が多数含まれる。作家・恩田陸の一部は、これらの作家によって作られたと言ってもいい。

「幻想、ユーモア、恐怖を豊かに織りこみ短篇小説に新しい息吹を与える画期的シリーズ」

というのが、一九六〇年に〈異色作家短篇集〉の刊行が始まった際に付されていたキャッチコピーだ。これをそのまま本書に捧げるべきである。

右で「観光旅行」に始まる四篇を紹介した際、作風がばらばらであることに気づかれたと思う。恩田は雑誌インタビューに答えて、連載当時には同じような驚きが連続しないように配慮して毎回の話を作っていたと語っている。その時点で〈ひとり異色作家短篇集〉をやる意欲満々だったのだ。収録順は連載のままなので、本書を読まれる際はぜひ配置の妙も味わってもらいたい。

先の「橋」に続くのは「蛇と虹」で、互いを「ねえさん」「いもうと」と呼び合う「あたしたち」のやりとりが、かぎかっこを使わない会話形式で綴られていく。「いもうと」はいつも「悲しい夢」を見て「夢が現実とごっちゃになってしまっていた」ため「ねえさん」は「その夢から明るい結末のお話を作り出して」「いもうと」を安心させてやっていた。物語が現実を侵し、それを奪い返すためにまた別の物語が生み出されていくという無限増殖は、これまた恩田作品に頻出するモチーフだ。この、打ち消しあう物語に関する幻想譚を明朗な「橋」の後に配するセンスが素晴らしい。それに続く「夕飯は七時」は分類するならスラップスティックSFなのだが、空想が現実の方へはみ出てくるという意味では「虹と蛇」と重なり合う部分がある。さらに実話怪談のような「隙間」、ミステリ専門誌に載っていたらさぞ喜ばれるだろうと思われる「当籤者」ときて折り返し地点になる。

前半を読み終えて、素晴らしかった、まるで輝く宝石箱だ、と感じ入った人は、後半に備えてちょっと息を整えたほうがいいと思う。恩田陸がここからさらに本気を出すからだ。連載を続けている間に燃え盛ってきたのだろう。フルスロットルで走り始める。後半の一番目、「かたつむり注意報」の主人公である〈私〉は、シン・レイという作家の足跡を訪ね歩いて伝記を書こうとしている。シン・レイと縁のある町で〈私〉は一つの話を聞かされる。町には〈彼ら〉と呼ばれるものがやってくるという。それは夜のことで、人々はみんな家の中でじっと閉じこもり、「彼らが町を通り抜けるのを、感じ続け」る。そして夜の明ける前に家から出て、〈彼ら〉が通った「まるで虹のよう」な跡を見るのだ。決してじかに見ることはできないが、必ずこの世に存在し、それを感じとった人々に忘れがたいものを残す。それはつまり物語というものではないか。作家の伝記を書くことに汲々として本当に追いかけるべきシン・レイの物語そのものに鈍感である〈私〉がこの話の語り手であることには皮肉な意味が付与されている。

続く「あなたの善良なる教え子より」は前半でいえば「当籤者」にあたるパーツで、気持ちの悪いスリラーの要素がある。その次の「エンドマークまでご一緒に」は前半で相当するものがあるとすれば「夕飯は七時」だろう。恩田にはコメディ作家の一面もあるのだ。とにかく明るく、賑やかな小説で、こういうものを正面切って書ける作家はあまりいない。会席料理でいえば箸休めなのだけど、誰も味わったことのない素材が使われている点に独創性がある。「え、あれ求肥だと思ったけどサボテンだったのか」というような感じで。

ここからの三篇が本書の心臓部だ。読む人の驚きを損ないたくないので、ざっと触れるだけに留めておきたい。「走り続けよ、ひとすじの煙となるまで」はありえない王国の年代記という形式の寓話小説、「ＳＵＧＯＲＯＫＵ」もやはり架空の国が舞台となる話で表面上はゲーム小説の体裁をとっているが、根底には少女が感じる成長への不安という、これまた恩田作品に頻出する主題が横たわっている。フェミニズム小説と読む人もいるだろう。連載の掉尾を飾った「いのちのパレード」は遠くからやってくるものたちの小説で、それを見届ける者の視点から語られている。レイ・ブラッドベリに『何かが道をやってくる』（一九六二年。創元推理文庫）という巡回カーニバルを描いた作品があるが、それを連想させる。本書収録作のいくつかは〈異色作家短篇集〉の書き手に対するオマージュとして書かれた可能性があるが、もしそうだとすればこれはブラッドベリ・パートだ。

旧版の文庫解説を書いた際、私は前半部をスタンダードのナンバー、後半をフリー・ジャズに喩(たと)えた。三年以上に及んだ連載期間を経て恩田陸という作家が高揚していき、最後は壮大な規模の「いのちのパレード」で幕を下ろす展開には演奏のライブ感を連想させるものがあるからだ。それは言い得て妙であったと改めて思うが、書き下ろしで「夜想曲」が加えられたことにも今回は注意を喚起したい。これは、本番が盛り上がりまくった後で拍手に呼ばれて戻ってきたバンドがこなす、お約束のアンコール演奏などではないからだ。『いのちのパレード』という作品集は、最後にこの短篇が置かれることにより、太い縦筋が通ったものになったのである。さまざまな角度から世界を眺め、現実を超える虚構を追い求めてきた作家は、最後に静かな夢を描いて一巻の終わりとした。その夢をどう受け止めるかは、読者それぞれに委ねて。

「あとがき」に本作の題名がフィリップ・ジャンティ・カンパニーの公演から採られたことが明かされている。そのパフォーマンスと〈異色作家短篇集〉、そして単行本からこの新装版まで一貫して装丁に用いられたジョセフ・クーデルカの写真が、鼎(かなえ)のように『いのちのパレード』を支えているのである。しめくくりに、少しだけそのことを書きたい。

クーデルカは一九三八年、元のチェコスロヴァキア、現・チェコ共和国南モラヴィア州のボスコヴィツェに生まれた。一九六八年にソ連（当時）が行ったチェコスロヴァキア侵攻、いわゆるプラハの春を撮影したことで有名だが、元来政治色が強いわけではなく、何事にも束縛されずに活動することを好む自由人であるという。〈Pen Online〉発表の青野尚子「ジョセフ・クーデルカ、流浪の写真家が切り取る混沌の世界。」にはこの写真家の「自分が撮りたいものしか撮らない」という信条が紹介されている。同記事で印象的なのは、テオ・アンゲロプロス監督の映画「ユリシーズの瞳」（一九九五年）撮影に同行した際の逸話だ。クーデルカは監督からスチール撮影を依頼され、断った。その後「では撮影現場に同行して好きなものを撮ってほしい」と頼まれ、引き受けたのである。何も介在物を通さず、世界と直で向き合うクーデルカの作品はそうやって自由を守った形で撮影されてきたのだ。

私にはこうした写真家の姿勢が、恩田作品と重なり合って感じられる。他の何にもとらわれず、自身の内に浮かび上がるものを文章として定着させることに恩田は徹する。その結果、作品には世界としか呼びようのないものが浮かび上がるだろう。クーデルカの写真と出会ったとき、恩田は彼がどんな人物であるかを深く承知していたわけではないだろう。ただ、引き合ったのである。

世界は世界と引き合い、出会う。この短篇集で、あなたも世界と出会うだろう。

本書は二〇一〇年十月に小社より刊行された
『いのちのパレード』文庫版の新装版です。
刊行に際し、杉江松恋氏に「解説　パレードは世界の果てまでも」をご寄稿頂きました。

ブックデザイン／坂野公一（welle design）
タイトル翻訳／柿沼瑛子

実業之日本社文庫 お12

いのちのパレード 新装版

2023年10月15日 初版第1刷発行

著 者 恩田 陸

発行者 岩野裕一
発行所 株式会社実業之日本社
〒107-0062 東京都港区南青山 6-6-22 emergence 2
電話 [編集]03(6809)0473 [販売]03(6809)0495
ホームページ https://www.j-n.co.jp/
DTP ラッシュ
印刷所 大日本印刷株式会社
製本所 大日本印刷株式会社

フォーマットデザイン 鈴木正道(Suzuki Design)

ISBN978-4-408-55832-5（第二文芸）